D0228400

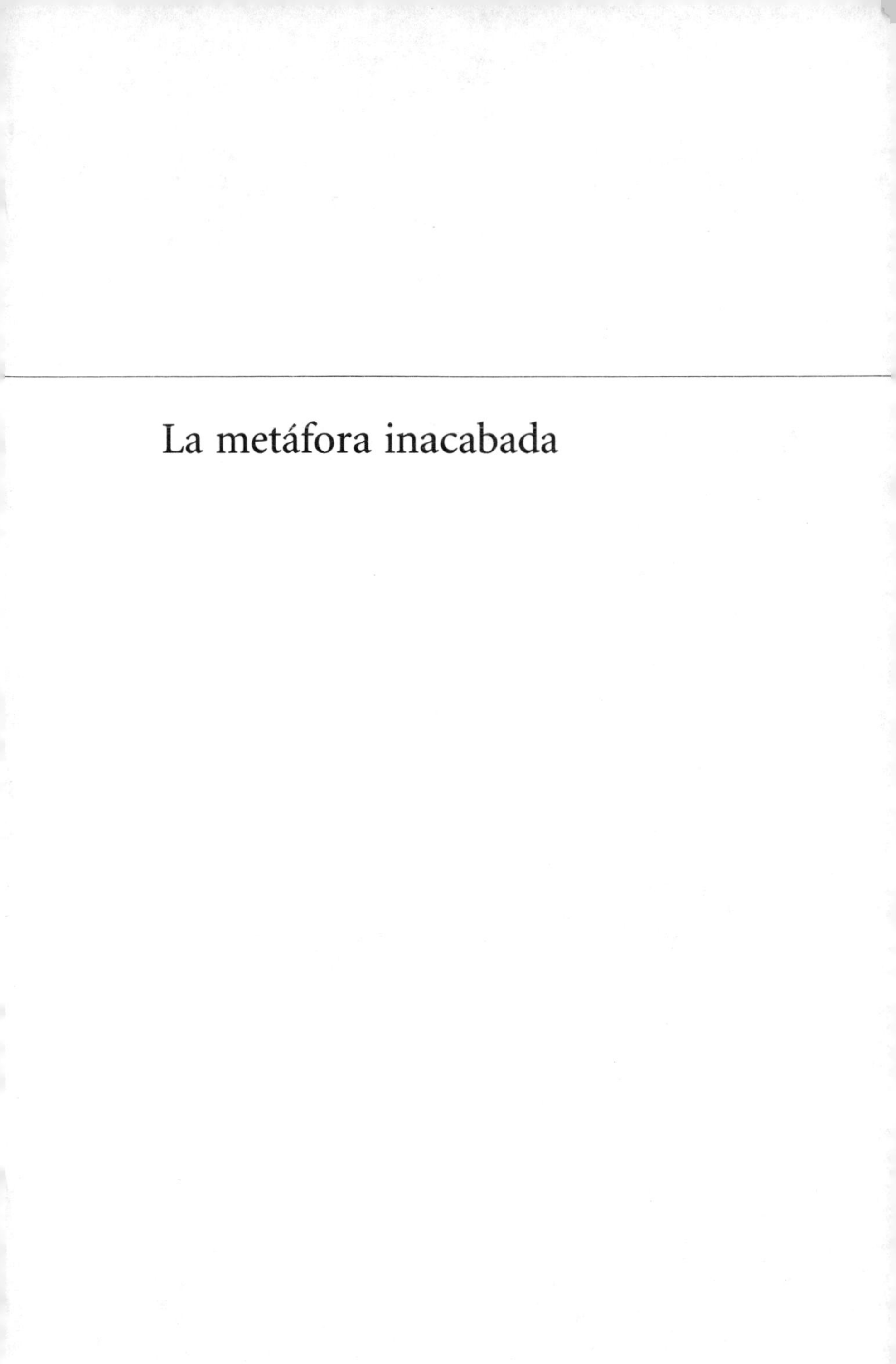

La metáfora inacabada

Seix Barral Biblioteca Breve

Antonio Prieto
La metáfora inacabada

Diseño original de la colección:
Josep Bagà Associats

Primera edición: junio 2008

Avda. Diagonal, 662-664 - 08034 Barcelona
www.seix-barral.es

ISBN: 978-84-322-1259-8
Depósito legal: NA. 1.764 - 2008
Impreso en España
Rodesa, Rotativas de Estella, S. L.
Pol. Ind. San Miguel, Parcelas E7-E8
31132 Villatuert (Navarra)

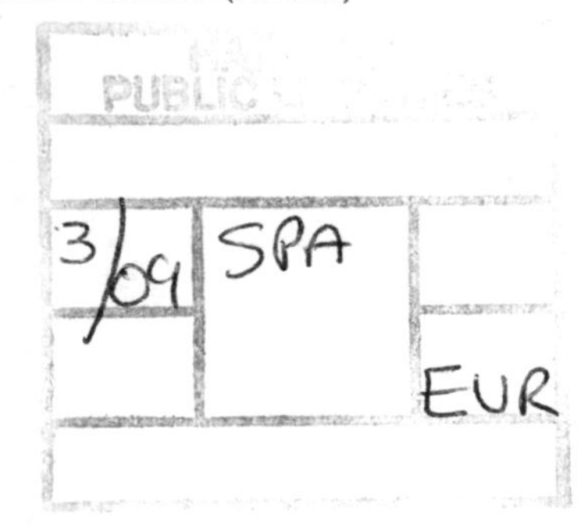

Para Elena y Manuel Alvar,
como siempre

I

Al principio me preguntaba si el viento sembrado en las colinas, silbando paralelo al mar, habría limado el cuerpo de aquel hombre que recorría las gibas de las montañas como si al final esperara encontrar su destino. Lo veía ascender y descender por la sierra mientras yo permanecía en la playa, a veces con mis pies bañándose en el mar. Era un mar que conocía desde pequeño y que continuaba enjaretado de rocas cubiertas de lapas e inquietos cangrejos que parecían agitarse para denunciar el riesgo de aquellas piedras que las tormentas arrojaban desde las colinas para detener al mar en su dibujo de la costa. Todas las mañanas, con el cuerpo en el mar, elevaba la mirada hasta encontrar el movimiento de aquel hombre enjuto, anacrónicamente vestido de negro y tocado con un sombrero de alas prolongadas de igual color. Todos los días comprobaba que aquel hombre continuaba recorriendo las colinas, con su paso meditado, aunque ya la caída de la tarde buscara el descanso de las sombras.

No me atrevía a decirle a nadie de mi atracción por aquel hombre enlutado, al que la distancia le robaba su expresión y cuya presencia retenía en la intimidad por miedo a que alguien lo definiera como una simple aparición o un fantasma imaginado por mi búsqueda de compañía.

Comprendo que era extraño, pero me atraía la visión del enigmático caminante de las colinas, y todas las mañanas me apresuraba a descender a la playa y levantar la mirada para encontrar su enlutada figura.

Yo habitaba una casa maltrecha, alejada del pueblo unos cuatro o cinco kilómetros. La distancia la recorría en bicicleta por un viejo y empedrado camino de escaso tránsito que alguna vez visitaba un espumoso oleaje que le donaba su huella salitrosa. De tarde en tarde me llegaba al pueblo e intentaba renovarme en el pasado, autodefenderme en mi historia. Pero apenas si hallaba enclaves a los que asirme. Reconocía el castillo, que seguía pareciéndome un águila posada sobre una gran roca, y me detenía en la céntrica glorieta en la que se reunían la iglesia, el ayuntamiento, y la vieja farmacia de don Francisco Moreno. Pero ya no podía visitar la casa de mis abuelos, con su amplia escalera de mármol, porque una nueva construcción la había borrado, y del barrio del Charco, donde me bañaba de chico sorteando los erizos, apenas si quedaba una esquina en la que se mantenía la antigua gasolinera de Aníbal con sus desconchados arcos que obligaban a maniobrar a los vehículos. Un día había abandonado el pueblo y ya casi nada me pertenecía, aunque siguiera amándolo.

Sin embargo fue allí, sentado en un banco público de la glorieta que sombreaban los árboles, donde supe de una leyenda que convenía, según mi necesidad, al hombre enjuto y enlutado que recorría las colinas. Quien me acercó la conseja era un anciano, registrador de los habitantes del pueblo, que comenzó a decirme de mi tío Juan, que manejó el telégrafo muchos años, y que mostró su alegría por saber un poco de mí. La historia que escuché resaltaba que una de aquellas colinas que se enlazaban constituyendo una cordillera paralela al mar, descendía en su ladera hasta abrirse en una sima profunda en la que, aplicando el oído, podía escucharse un persistente rumor de oleaje. Quien había perseguido con la fantasía el sonido afirmaba que la sima tenía una escondida entrada que conducía a un túnel, sumergido bajo el mar, y que, al igual que el brazo se prolonga en los cinco dedos de la mano, concluía en un amplio espacio submarino acomodado en cinco despejadas cámaras en las que estaban escritas, con su voz, la andadura de los cinco continentes. Una voz acrónica, que no contaba años porque todo era presente en el momento de pronunciarlo, relataba la historia de los continentes de manera anónima.

Tardé días en asimilar esta leyenda en los que no dejó de laborar mi curiosidad. Llegué a suponer que la leyenda escuchada en la glorieta por boca de un anciano no era sino una metáfora de la vida en la aspiración de ésta por saber del pasado y servirse de él, con lo cual el hombre insistía en el intento de vivir con la imaginación lo que había sido y le pertenecía. Era un modo de inscribirse en la historia contra la muerte que habría de llegar.

Entonces, en mi deseo de conectar con la realidad visible, pensé que aquel hombre enlutado y enjuto, del que nadie hablaba, recorría las colinas con el fin de adquirir la fe suficiente que le permitiera descender a la sima y progresar por su pasado hasta completarse en el luminoso túnel submarino. Se necesitaba fe para imaginarse fertilizando los pasos por un túnel desprendido de la cronología en el que ningún personaje estaba fijado por unas fechas. No sé el tiempo en el que estuve detenido en esta ficción de la sima invitadora de la excursión submarina. Posiblemente el calor que desprendían las jornadas de julio y mi soledad me condujeran a desvariar sobre una leyenda forjada por una desatinada imaginación. El desencanto y el silencio, a los que sólo se asomaba el sonido del mar, alimentaban mi detención cotidiana en la conseja, a la que a veces tenía por un jeroglífico que debía desentrañar. Así me mantuve, buscándole significados a la realidad, hasta que una mañana, por casualidad, oí que un médico hablaba por televisión de lo extendida que estaba la esquizofrenia. Especialmente lo atendí cuando afirmó que los gatos portaban un protozoo que podría estar relacionado con la presencia de anticuerpos del toxoplasma en los humanos. Yo, desde pequeño, era muy aficionado a compartir mis días con perros y gatos.

Pero otra mañana muy temprano en la que apenas si la oscuridad se dejaba ya penetrar por el día, advertí con sorpresa que el hombre enlutado caminaba las montañas en compañía de un perro negro de largas orejas que corría feliz saltando por las rocas como si persiguiera un conejo o una liebre, quizás un pájaro que raseara.

Ahora, pasado ya el tiempo, podría recordar de qué manera estuvo atrayéndome aquel hombre enlutado que recorría las montañas con un perro negro de largas orejas. Me atraía como un ser que yo necesitaba inventar, tal vez mitificar en mi necesidad de compañía. Eran días en los que me hería la soledad y entendía que el hombre tiene natural ansiedad por hallar otro congénere con el que intentar saberse, o creerse, e incluso proyectarse. Sí, iba admitiendo que el ser humano necesita de otro en el que mirarse y con el que poder crecer amándolo, odiándolo, ensalzándolo o aniquilándolo. Pensaba que era la necesidad que sintió Adán construyéndose con Eva o la que animó a Caín a mirarse en Abel. Sé que admitía mi debilidad y me alcanzaba con el juego del mar el recuerdo de un lejano y sabio griego llamado Evémero, quien tocando la racionalidad negó la divinidad de los dioses, los descendió del Olimpo y los certificó como simples humanos a quienes sus vecinos los habían celebrado después de muertos convirtiéndolos en mitos que la necesidad humana de creer, de tener fe en algo, prolongó por las edades formando la poética y animada invención de los dioses míticos.

Comprendía así el hecho de que unos convecinos hicieran una narración con un buen metalúrgico, don Hefesto, que casó con la atrayente y casquivana joven Venus, la cual, seducida por un militar prepotente de nombre Ares la condujo a ejercitar el adulterio. Sorprendidos los amantes en la cama por Hefesto, éste les echó encima una red que los sujetó en su pecadora postura para que fueran vistos por los vecinos en su concúbito y así los juzgaran con jolgorio e hipócritas censuras. Los años fueron acrecentando el suceso y elevaron a Hefesto a herrero divino, dios del fuego, y a que Homero le otorgara una fragua en el Olimpo. Mucha y mejor fortuna tuvieron otros para elevarlos a dioses como un vecino tañedor de la lira que se llamaba Apolo y al que sus conciudadanos hicieron presidir el coro de las Musas que, coronadas de violetas, vivían en el monte Helicón.

No obstante estos recuerdos míticos que me traía la soledad tardé tiempo, quizás demasiado, en decidirme a ir al encuentro del hombre que caminaba las colinas. Sí, es verdad que todas las mañanas marchaba a la playa y desde el mar alzaba la mirada con la ansiada esperanza de encontrar al que ya reconocía como amigo. Mis idas al pueblo se fueron haciendo más espaciadas, especialmente en los comienzos de agosto, cuando el pueblo encadenaba fiestas y fiestas que propiciaban la asistencia de turistas. Temía que el bullicio de la gente taponara mis oídos cubriéndolos con un ruido que alejara mi gozo del silencio para meditar en mi amigo. Es posible que este temor a la ajena algazara, y no sólo las peticiones de la acedia, retrasaran mis viajes al pueblo en bicicleta.

A medio camino, aproximadamente, la calzada que era vestigio de romanos se inclinaba para orillar un cabezo. Allí, frente al mar, solía apearme de la bicicleta y buscar la sombra de una higuera caprichosamente nacida. Me sentaba sobre alguna roca y dejaba que mi pensamiento flotara entre el silencio y el rumor del mar, cuya persistencia monótona también concluía en silencio. Sentía que garrapateaba frases inconexas en el espacio, frases que se perdían al no hallar relación y que se desperdigaban al carecer de sujeto. A veces, ni siquiera eran frases, sólo palabras aisladas como verano, noche, labios, zanahoria o vegetal con las que no me crecían ánimos para construirles una oración. Percibía que esas palabras, con su vacío, me iban inundando de forma negativa, transformándome en un espacio hueco tan sólo habitado por la nada, lo cual me descategorizaba en cuanto habitante de la vida. Quizás fuera que la palabra estaba retrocediendo, desnaciendo, hasta ir perdiendo el uso y vicio de usarla, con lo que pretendía volver a significar aquello por lo que nació, a su étimo puro. Pero me aterraba aquella situación, aquella presión del silencio borrando el sonido de las palabras y su facultad de comunicar. Sin palabras, mudo, ¿cómo iba a expresarme, a llamarme y a llamar? Sé que entonces, desorientado, acoplé mis manos junto a la boca para que la voz explotara rasgando el silencio, apartándome del vacío, y exclamé:

—¡Zapé Ahimé, Za Zapé Zas!

Aparentemente, mi exclamación desgarradora no tenía sentido, no podría buscársele una significación. Entonces recordé milagrosamente que Dante le hizo exclamar al demoníaco Pluto en el *Inferno* «Pape Satàn, pape Satàn aleppe!» y que aún esa frase de la *Divina Comedia* pervive vencida hacia la incógnita. La verdad es que mi exclamación absurda de «¡Zapé Ahimé, Za Zapé Zas!» me había servido, al escucharla, para comunicarme con una actualidad y recordar lo escrito hace siglos. De modo que pude celebrar que la palabra existía, era, conducía. Fue cuando aprecié, en oposición al vacío que me inundó, que los verbos recordaban el valor de la conjugación y que el imperfecto *amaba* se precipitaba hacia el futuro *amaré* sin apenas detenerse en el presente *amo* con olvido egoísta del imperativo *amad* o *amemos*.

Me levanté de la roca en la que aún sentado formé el grito de «¡Zapé Ahimé, Za Zapé Zas!» y sonreí ante su evocación como si hubiera hallado su significado. Nuevamente, con la bicicleta, me acerqué al viejo y empedrado camino por el que llegaba al pueblo. El mar se había tendido hasta parecer dormido, sin ninguna ola que obedeciera al viento para manifestar la soberbia u orgullo de saberse inmenso, principio de todos los nacimientos. Sonreí con el regusto de la adquisición. Tal vez fuera que había aprendido nuevamente a conjugar el presente del verbo *amar* y no temiera aceptar su imperativo. Con ello, no sé si indebidamente, relacioné de nuevo cómo un lejano griego nos señaló con su racionalidad la facultad que tenía una persona para transformar a un semejante negándolo o elevándolo a personaje mítico: Lo que yo había intentado con el desconocido y enlutado caminante de las colinas.

Me aferré a este desplazamiento al igual que quien

vislumbra la salvación en un naufragio. De todas las estúpidas guerras que el ser humano se empeñaba en protagonizar, la única guerra justificable era aquella de sentirse y hacerse historia, que era guerrear contra la muerte y tejer la reviviscencia. De tal manera que desplazándome al enlutado hombre que caminaba las colinas, construyendo con él su pasado, es decir, su historia, iría construyéndome yo también. Podría entenderse este recorrido como el proceso de convertir en personaje a una persona real. Intenté entonces ayudar mi pensamiento con el recuerdo de que una vez un manchego lector de libros llamado Alonso Quijano, al que otros llamaban Quijada o Quesada, fue hecho personaje como andante caballero y luego mitificado.

Me alegró sentir activada la memoria. Descubría que la memoria no era un sedentario archivo del pasado sino un receptáculo nómada del cerebro que nos vivía y sobre el que circulaba el movimiento del tiempo recuperando lo que fue y modificándolo con la actualidad. Me alegraba reconocerla así, tras un tiempo dedicado a olvidar, y le agradecía que me trajera recuerdos de mis lecturas descubriéndome con ello la compañía de unos autores que fueron amigos.

Dejé la bicicleta en la heladería que fundaron hace algunos años unos valencianos y busqué el banco de la glorieta a la espera de encontrar a mi anciano amigo. Creo que el banco estaba instalado frente a la casa donde había nacido, aunque no podía certificar qué edificio era. Siempre había escuchado en familia que yo había nacido en «una casa de la glorieta», sin que diera importancia a su localización. Y ahora, que deseaba averiguar el primer lugar en el que respiré ya no tenía a nadie que me lo indicara. En verdad eran muchos los espacios que perdí cuando mi madre murió, y sentí que la raíz que me sujetaba a la tierra me fue cortada y me obligaba a navegar al igual que navegaron aquellas míticas islas sin anclajes terrestres como la brillante y errante isla de Delos.

Era una tarde calurosa de agosto, del inicio del mes en el que la demografía se alteraba; una tarde que parecía dormida bajo las promesas de vivir que llegaban del mar. Me sentía relajado hasta que se acercó la impaciencia, ahora vecina de la nostalgia, y comencé a desear que llegara aquel anciano que en otra tarde anterior me dijo de una leyenda que recorría las colinas hablando de una sima en la que se escuchaba el oleaje del mar. Había asimilado la leyenda en su condición de metáfora o enigma de la vida, desalojándola de mi curiosidad y acercándola a la realidad. Lo que perseguía ahora era que la conversación con el anciano me ayudara a ser historia permitiéndome imaginar y revivir el pasado en el que una vez fui e hice camino.

El anciano se apoyaba en un cayado al caminar. Me divisó y se dirigió a mí, como si tuviésemos concertado un encuentro desde un lejano pasado. Tenía la voz agradable y firme, segura, evidenciando que una vez supo dirigir. Apenas ocupó el banco junto a mí me aclaró señalando a un grupo:

—Cuando joven, también yo era tan alto como ésos. O tal vez más. Después los años me fueron menguando y encorvando. ¡Ah, los años..., cuántas cosas se nos llevan!

Lo miré y creí conveniente dejar que respirara algo más su ancianidad.

—Certifiqué que había llegado a la vejez —me aclaró—, cuando percibí que casi todas mis referencias eran sobre personas que habían perecido. Pero no me importaba porque yo sabía, consoladoramente, que vivir, participar de la vida, es una innovación permanente, un sentirse creador de la propia existencia frente al pesimismo de abandonarse que algunos practicaban.

Sonrió como si estuviera alimentando su afirmación en una experiencia que combatiera la obstinación del hombre en vivir anacrónicamente consigo mismo sin saludar la modernidad de cada día, su diversidad. Confieso que me desconcertaba su discurrir dentro de algunas contradicciones.

—Una vez —me hizo saber— quisieron nombrarme cronista de la ciudad, que repasara el nombre de las calles y explicara cuándo les dieron los nombres que llevaban y la razón de que designaran a un trozo de la ciudad.

—¿Y no aceptó el nombramiento de cronista?

—No, no acepté. Aquello era enterrarme en un pasado que desconocía en gran parte. Me cabreaba ver en el archivo fotografías de personas que no reconocía. Sí, creo que era enterrarme y lo dejé.

Volvió a sonreír como si se hubiera contado una travesura entrañable. No podía olvidar que era una persona recitadora de leyendas a las que prestaba el aire de su actualidad y en las que difuminaba nombres que yo había escuchado en casa de pequeño. Por ejemplo, el de don José Moreno, hermano del boticario, que había sido un médico compañero de mi padre, o el de una dama encantadora, Conchita Parra Lloret, cuyo bisabuelo Enrique dio nombre al Paseo de Parra que tanto recorrí de joven.

Tenía la seguridad de que el anciano sabría más de aquel hombre enlutado que recorría las gibas de las montañas acompañado ahora de un perro negro de largas orejas que brincaba envidiando el desplazarse de los pájaros. Aunque no quisiera extraerlo del dibujo de la memoria, tenía que preguntarle al anciano por el habitante solitario que se cubría con un anacrónico sombrero de alas anchas.

—Una mañana —le expliqué—, hace ya tiempo, alcé la mirada hasta las colinas y vi pasear por ellas a un extraño personaje vestido de negro. ¿Sabe quién es o de quién pudiera tratarse?

—Sí, claro que me imagino quién será —me respondió.

—¿Y...? —esperé.

—Bueno, puede tratarse de uno al que yo llamaría Lázaro. Alguien al que necesitaba la gente de vez en cuando para darle a la lengua y que viste de negro como es habitual en los pueblos del interior. Y, simplemente, o es un tránsfuga o se acerca a las colinas para ver el mar desde ellas.

—¿Y qué más sabe? —insistí.

Apenas realizada mi pregunta me arrepentí de formularla. Aquel hombre que caminaba las colinas era mi íntimo y escondido descubrimiento, alguien al que necesitaba mi soledad, mi situarme entre los vivos como un sigiloso recuerdo deshaciéndose. Si otra persona lo descubría para sí, le acercaba su curiosidad y lo componía con el pensamiento, iría destruyendo su unidad de personaje que yo ansiaba para recrearlo y recrearme.

Disfruté de un reconfortante alivio al no obtener respuesta del anciano. Esta vez agradecí la presencia del silencio. Miré hacia los árboles y reparé en que nosotros carecíamos de nombre. Estábamos hablando, en amistad, un anciano registrador del pueblo y yo de un desconocido hombre que recorría las colinas y ninguno de los tres teníamos un nombre que nos llamara y diera existencia. Reconocí con urgencia que al hombre enlutado el anciano lo acababa de llamar Lázaro. Con él ya teníamos un nombre. Pero ¿y el anciano? Opté por llamarle Francisco; era un nombre franciscano, tranquilo, contemplativo. Francisco me sonaba a eso, a fraternidad con la naturaleza y diálogo con los animales. En cuanto a mí el problema era más grave o festivo, según se mirara. Puede que Francisco y Lázaro fueran patronímicos que el avance de la realidad confirmaría o negaría, pero mi caso era distinto. Tenía ahora entre mis manos la realidad y ella se negaba a denominarme. Tal vez me hubiera abrazado con tal intensidad al pueblo y a la casa de la playa con el fin de olvidar mi más cercana actualidad y fracaso que no acertaba a pronunciar mi nombre, quizás como una escondida propuesta de que también me olvidara de mí. Sonreí entre divertido y triste, acepté no contradecir mi extraña y accidental voluntad de olvido y decidí que respondería al nombre de Gabriel. Recordé que era el nombre que había llevado el hermano de mi madre, que murió antes de que yo naciera. Mi tío Gabriel había estudiado Derecho en Madrid y tenía aficiones literarias que cumplía como socio activo del Ateneo madrileño. Lázaro, Francisco y Gabriel. Así nos llamábamos ya y podríamos responder. Me gustó esta asignación a la vida que proporcionaba nuestra fijación nominal recién descubierta o estrenada y la celebré en un grado de intimidad que desalojó el egoísmo o mezquindad que me había nacido ante el temor de que Lázaro me fuera arrebatado por Francisco en su condición de personaje.

Me encontraba preparado para escuchar a Francisco y creo que él comprendió mi nueva situación alejada de recelos.

—Le decía —comenzó— que Lázaro posiblemente habite en algún pueblo de las montañas voluntariamente aislado, reñido con la gente. Algunos dicen que vino de muy lejos y otros que es una alucinación que reverbera por el sol. No sé, no creo que a nadie le interese de dónde proviene o quién es. Está allá arriba como estaría un acebuche solitario o una palmera, como un asceta del desierto que bebe en los arroyos y se nutre de lo que otorga la naturaleza. Creo que realmente es una figura de ficción que hace ya tiempo que dejó de interesarle a la gente, si es que alguna vez alguien se extrañó de su conducta e incluso intentó hablarle. El mundo está demasiado ocupado en sí mismo para interesarse por Lázaros y únicamente sabe que está ahí, al igual que está una roca o el viento levantino que se pierde. Cualquier día morirá y nadie se enterará. Pero eso también me sucederá a mí, ha sucedido ya infinitas veces y seguirá sucediendo. Después de todo, cuando uno muere, ¿para qué necesita continuar alimentando su vanidad? Los honores, las medallas póstumas y esas cosas son para la vanidad de los familiares o para intereses bastardos. Al muerto, nada de eso le anima. Ni lo escucha ni ve. No diferencia entre la gloria, la cobardía de denigrarlo o el total olvido. Le es lo mismo todo, o mejor dicho: nada le es ya.

Intenté buscar los ojos de Francisco y leer en el fondo de su mirada, acercarme a la razón de aquel discurso adobado por la tristeza que tan desengañadoramente abocaba en el acto de morir. Intenté girar por el pasado:

—Muy parecido a una sombra que huye —expresé— recuerdo que antes en la playa se levantaban unos balnearios de madera con las tablas despellejadas y ablandadas por la brisa. El mar se olía fuertemente en la madera.

—De eso hace mucho tiempo —me precisó—. Tanto tiempo que si pretendiera evocarlo tendría que recuperar con la imaginación mi juventud, cuando hacíamos disimulados agujeros en las casetas para intentar ver a las zagalas desnudarse o vestirse.

—¿Hacía usted eso? —sonreí.

—¡Claro!, lo hacíamos todos y ellas a veces lo sabían y unas veces taponaban los agujeros y otras los ignoraban para que las viéramos. No todas eran santas y el calor de agosto ayudaba al calor del sexo. ¿Usted no hizo nunca cosas así?

—No, creo que no.

—Es natural. Hoy en día no es necesario servirse de artimañas para ver a una zagala semidesnuda. Se van fácilmente a la cama, saltan la acequia sin remilgos, son ágiles.

Sonreí como un novicio que hubiera crecido entre cronologías que jamás se tocaron. Francisco me parecía un orfebre del tiempo que podía labrar el pasado ayudado por la imaginación e intuir un futuro que rozaba con su ánimo. Dentro de aquella riqueza interpretativa que le suponía a Francisco tenía la impresión de que todo cuanto sabía o suponía de Lázaro ya me lo había comunicado.

Durante unos rápidos instantes me sacudió la idea de que Lázaro y yo teníamos una íntima fraternidad que presidía la soledad. También yo, en mi maltratada casa de la playa, llevaba una vida de ermitaño, al igual que Lázaro la llevaba asomando su soledad a la giba de las colinas. Lázaro podía observar y oler el mar desde la montaña y yo me bañaba en ese mismo mar que recitaba su salmodia de infinitas leyendas y mitos mediterráneos sin que nadie pareciera atenderlo. Era el mismo mar que navegaron islas errantes como Delos, donde nació Apolo y desde donde se ofreció para que los humanos crecieran inventándole que mantuvo amores con distintas Musas, de las que tuvo notables frutos, si bien se enamoró de una, la hermosa Dafne, la cual prefirió transformarse en laurel antes que acceder a los deseos del dios.

Se me ocurrió, de repente, preguntarle a Francisco:

—¿Usted conoce bien el mito de Apolo y Dafne?

—No —me respondió—, bastante tengo ya con las manifestaciones de la realidad como para acudir también a los mitos.

Me defraudó bastante su rápida y negativa respuesta. Me parecía un grave error llegar a la vejez cargado de inhóspitas realidades y sin el calor que los mitos clásicos podían aportar a la imaginación en la búsqueda o interpretación del tiempo perdido. Recordé entonces cómo mi abuelo Ubaldo se acomodaba en su sillón en una esquina del amplio zaguán que iluminaba una hermosa claraboya. Callado, en silencio, parecía esperar que con la luz cenital penetrara su vida pasada. De pronto mi abuelo formaba la voz y nos narraba algún mito de los antiguos al que él iba aportándole su pasado en un vivificador proceso de fusión. En una ocasión, pasados los años, encontré en unas páginas a mi abuelo transformado míticamente en el caballero don Ubaldo Callejón de la Granda, conversador en Granada con poetas y guerreros de 1526, según testimonia su *Libro*, o sea, su vida.

El caso es que me había defraudado la desatención a los mitos del anciano Francisco y le reconvine:

—El mundo continúa necesitando los mitos y los necesitará siempre dentro de ese juego de engañar y ser engañados que nos mueve.

No podía saber lo que había de cierto en mi afirmación, ni aun ahora lo sé, porque la capacidad e intensidad de engañar que manifiesta el ser humano es infinita, especialmente si se dedica a un ejercicio público necesitado de atraer socialmente y de ganarse votos.

Francisco escuchó mis palabras y me miró como si aguardara una continuación, tal vez una perorata de predicador que exaltara las virtudes de los mitos para una sociedad cada vez más incrédula. Pero guardé silencio y fue él quien dijo desde el fondo de su experiencia:

—A mí ya no me van esos cuentos, no creo en propagandas difundidas por la televisión y no me refiero sólo a los anuncios.

Comprendí que estábamos caminando por direcciones divergentes acerca del mito. A Francisco no podía interesarle lo más mínimo el mito de Dafne y Apolo y menos interpretarlo como una narración con la que poder vincularse y explicarse, tal como probaron tantos poetas.

—Y ahora —le pregunté—, ¿en qué se ocupa?

—En pasar —me respondió rápido—. Pasar la vida no es fácil ocupación.

—Ya —aprobé—. También yo intento pasar la vida.

—¿Interesándose por Lázaro? —me sorprendió.

—Sí, tal vez sí. Es una manera de ser ciudadano, al igual que cualquier otra.

—Un poco rara, ¿no?

—También yo soy raro —completé.

—Sí, sí que lo es. En vez de vivir y gozar en el pueblo se recluye en una vieja y aislada casa. ¿Cuánto durará en ella?

—No lo sé.

—Yo sí lo sé. Aguantará mientras el buen tiempo dure. Cuando asome el invierno preparará las maletas y cogerá el camino hacia cualquier parte donde tenga su guarida.

Sonreí porque no estaba seguro de si Francisco

acertaría o no en su predicción. Llevaba allí, en la casa de la playa, muchos días queriendo desprenderme de las adherencias de la gran e inhóspita ciudad cuyo espacio urbano se disputaban las inmobiliarias bajo un disfraz político. Un antiguo pariente me había proporcionado el lugar que habitaba, advirtiéndome que era una casa abandonada pronta a ser demolida. No me importó y cubría en ella las jornadas sin aviso de arrepentirme, aunque alguna vez echaba de menos la falta de luz eléctrica, que suplía con unas lámparas de las que usaban los antiguos mineros y que apenas encendía porque los días del verano eran generosos de luz. Pensándome a mí mismo en horas del pasado estaba logrando olvidar las razones que me habían inducido a buscar el retiro playero. Consideraba que parte de ese retiro la cumplía con mis espaciadas llegadas al pueblo, ya que en ellas también buscaba la atracción del pasado. Los ancianos, igual que Francisco, representaban la memoria viva de la historia, aunque a veces se contradecían o sembraban sus relatos de inopias. Salvo sus años de juventud, que era una época que tenían agarrada como un tesoro cuyo repetido sonido jamás producía monotonía. Los había tan ancianos que podían hablarme de mi bisabuelo Juan Jiménez Crouseilles, que tenía dedicada una calle cercana a la iglesia.

Francisco era algo distinto y alteraba su detención en leyendas con la evocación de manifestaciones anarquistas. Era un buen y pacífico republicano que ya tenía colocados sus años en la recta final y en la credulidad de leyendas que gustaba interpretar. Con todo, me ayudaba un poco a recuperar los años que tenía perdidos entre las exigencias de la actualidad. Con Francisco había comenzado a creer que era hermoso tener un pueblo o una aldea en la que pesar el tiempo y darle orientación.

El tiempo carecía de peso en las grandes ciudades, ya que la velocidad de acción cotidiana le obligaba a huir sin permitirle pronunciarse.

Pero sentía que mi soledad junto al mar haciéndome en su olor y sonido iba declarándome con el pasar de los días que necesitaba a otra persona con la que compartir mis cuitas, alguien a quien también yo escuchara y me escuchara haciéndonos ciudadanos. Por ello, no obstante rozar el absurdo, me había interesado la aparición de aquel hombre enlutado, que ya se llamaba Lázaro y que podría llamarme Gabriel. Comenzó a interesarme más cuando lo vi acompañarse de un perro negro, de largas orejas, que corría persiguiendo el volar bajo de los pájaros. Estaba seguro de que en cualquier momento Lázaro se sentaría sobre una piedra, comenzaría a acariciar al perro y éste le mostraría en la mirada que estaba dispuesto a escucharle con la máxima atención. Y Lázaro comenzaría a confesarle... ¿Qué, qué le confesaría? Era la interrogación que yo deseaba evacuar y por lo que todas las mañanas abandonaba el inquieto desplazarse de los cangrejos y miraba el recorrer las colinas de Lázaro.

En aquel anochecer, al ocupar mi asiento en el viejo y maltrecho porche de la casa, tuve la impresión de que el silencio apartaba un tanto la soledad para que penetrara la compañía. Ya éramos Lázaro, Francisco y yo, Gabriel. Éramos tres nombres que podríamos llamarnos entre sí y testificarnos.

II

La lluvia, esta vez cercana al mar, había sembrado la extensa arena de numerosos cráteres que parecían construidos por las activas hormigas. Era un paisaje abocado a destruirse rápidamente, a que cualquier lagartija lo borrara en su ir a la caza de insectos. Había estado lloviendo al comienzo de la mañana, con un sol dubitativo asomando por el horizonte, y temí que Lázaro no apareciera paseando las montañas con su perro de largas orejas. Sin embargo yo miraba las colinas, escrutaba aquellas cimas por las que era probable que apareciera sin violentar la costumbre.

Me había dormido repitiendo los nombres de Lázaro, Francisco y Gabriel como si ello fuera un don con el que se nos otorgaba existencia. No me enojaba que el día se hubiera levantado con lluvia porque estaba seguro de que pronto despejaría y nos perseguiría el sol. Divisaría a Lázaro aupado en la colina como siempre. Ascendería hasta su encuentro. «Soy Gabriel, el vecino de abajo», le diría. «Sí, usted es Lázaro», añadiría; «lo sé por Francisco, me lo dijo hace días en el pueblo».

Ya apenas desprendían unas gotas las nubes, que se marchaban hacia las tierras del interior al comprobar que era inútil intentar mojar el mar. Sin embargo, las tormentas sobre el mar tenían una extraordinaria belleza. Yo las recordaba como experiencias insólitas vividas en el pueblo, en la casa que tenían mis tías en el Charco frente al mar.

Confesaré que aguardé el cese de la lluvia dotado de impaciencia no por ver a Lázaro sino con el fin de poder cumplir sin mojarme con una necesidad fisiológica que me reclamaba. En Madrid, un médico amigo me recomendó para el estreñimiento que, aparte del consabido ejercicio y la ingesta de verduras, huyera de la clausura del cuarto de baño y saliera al exterior, donde el contacto con el aire facilitaría le evacuación del intestino mientras en cuclillas me fumaba un placentero pitillo. El consejo del médico, al que me acomodé rápido, dio efectivamente sus frutos alegrándome el carácter. La dificultad que tenía era salvar los lazos coercitivos de la ciudad, en cuyo centro vivía, y alcanzar por la carretera de El Pardo un lugar aislado en el que realizar mi deposición mientras entonaba alguna canción preferida como *O sole mio!* Ahora, avecindado en la casa de la playa, apenas si tenía que caminar unos metros para encontrar un espacio con un árbol propicio bajo cuya sombra, en cuclillas, entonar un *O sole mio!* colmado de satisfacción.

Al fin las nubes se marcharon con algo de tristeza, lentamente, y el sol cobró para la mirada el esplendor que le era propio. Esperé desde el porche a que Lázaro apareciera en las colinas midiendo los pasos de la vida con la alegría incesante de su perro de largas orejas. En cuanto lo vi supe que era el momento de ascender hasta su encuentro. Era algo que ya había ensayado en mi mente, que me sabría a repetición.

—¡Hola! —le saludé—. Soy su vecino de abajo, de la playa.

—Hola —respondió con dormida sorpresa, mientras se sacudía el invisible polvo de su chaqueta.

—Me llamo Gabriel —proseguí—. Sé que usted se llama Lázaro por Francisco, un amigo anciano del pueblo.

—Ya —confirmó quedamente mientras el perro brincaba a nuestro lado aguardando el lanzamiento de una pelota que le había devuelto a Lázaro.

—¿Cómo se encuentra? —insistí torpemente.

—Bien, muy bien. ¿Y usted? —respondió en un tono que rozaba la ironía.

—Yo —quise familiarizar— me encuentro mucho mejor desde que abandoné la ciudad y vivo en la casa de la playa. Hace ya unos meses.

—Yo vivo al otro lado, en un cortijo aupado en la ladera que construyeron cuando los montes proclamaban la riqueza del esparto, según me dijeron.

—Ahora a casi nadie le interesa recoger el esparto. En el pueblo, cerca del puerto, vi el otro día un artesano que fabricaba esparteñas. Según parece las compran los turistas con gran curiosidad. ¿Usted no es de por aquí?

—No. Soy de una capital del sur algo lejana. Vine aquí por el reclamo del desierto; deseaba estar solo y olvidar.

—Yo llevaba tantos años sin venir por aquí que casi parezco un turista. Todo lo encuentro transformado, distinto. Ni siquiera existe ya la casa de mis abuelos donde viví mi juventud. Eso sí lo siento, me apetecía volver a pisar su gran escalera de mármol, recorrer sus habitaciones, renovarme con el recuerdo.

—También los espacios desaparecen, todo se muda —sentenció.

Había ascendido a la colina por su lado escondido al mar, que era mucho menos escarpado y sin acantilados. Era la parte por donde las colinas, olvidándose de las rocas, descendían hasta una amplia rambla que poquísimas veces celebraba la visita de las aguas. Mientras pisaba las gravas, las arcillas y las arenas de la rambla y percibía bajo mis pies la respiración de la humedad, me animaba interiormente de valor para preguntarle a Lázaro si conocía aquella sima donde sonaba el oleaje del mar según la leyenda. Era realmente lo que me preocupaba mientras trepaba por los taludes salvajes donde nidificaban el cernícalo, el gorrión chillón o el camachuelo trompetero, en medio de matorrales de clavelinas y jarrillas blancas. De modo que cuando vacié mi diálogo de preguntas insulsas le espeté a Lázaro, hablándole de tú:

—¿Sabes de una leyenda que hay sobre estas colinas?

—¿Cuál de ellas? —me preguntó a su vez—. Hay una sobre un águila o halcón peregrino que anuncia el nacimiento de los hijos varones. Y hay otra acerca de una sima en la que se invita a conocer espacios submarinos.

—Me refiero a la sima animada en su fondo por el mar.

—Alguna vez vi descender un águila o un halcón en busca de presa, disputándosela al zorro cortijero. Pero jamás escuché ningún sonido de esa sima que dice la leyenda. No creo que exista ni por aproximación.

—Cuando te vi desde la playa recorrer una y otra

vez las colinas pensé que buscarías la sima, que podrías ser el protagonista de la leyenda.

—Siento defraudarte —y sonrió—. No soy protagonista de tal cosa. Aunque sí es cierto que hay una pequeña sima natural. Puede que la vieras siguiendo el curso de la rambla. Es por donde escapa el agua después de una lluvia, algo que es muy poco frecuente porque ésta es una rambla acomodada al desierto. Estoy seguro de que no existe esa sima recogedora de misteriosos sonidos que cuenta la leyenda.

—Quizás sí exista y esté oculta por la maleza, quizás, aunque no tropezaras con ella. Viéndote pasear un día y otro por las colinas, pensé que la buscabas.

—Paseaba por recomendación médica, por mi corazón. Nunca me gustó pasear, me aburre. Y hacerlo por las colinas me distrae, me permite observar cómo el mar dibuja con su movimiento el contorno de la costa. Y ahora, con el perro acompañándome, casi me va gustando caminar.

Miré entonces, al mencionarlo, al perro, que se mantenía quieto, como respetando el sonido de nuestras palabras, pero sin dejar de mover rápidamente su rabo mutilado en cuanto Lázaro o yo lo mirábamos.

—El perro —dijo Lázaro— me anima a recorrer la montaña. Incluso me muevo más para ver qué busca por el monte.

—Es un perro de caza —afirmé—. Cazaría muy bien en pantanos y lagunas.

—¿Tú entiendes de perros?

—Sí, un poco. Desde pequeño me crié con ellos. Puede que haya olvidado a muchas personas, pero no a los perros con los que he convivido.

Realmente, desde la colina era maravilloso entretenerse en la extensión del mar. Se tenía la impresión de que la lluvia mañanera hubiera limpiado la superficie marítima de cualquier mancha o pústula dejada por la hiriente actualidad. El sol se inclinaba iluminando la diversidad cromática del mar, de tal manera que podía diagnosticarse si el fondo marino era de rocas, arena o movedizas algas, a través del azul, verde u ocre que se exteriorizaba en la superficie. Me distrajo de la contemplación el correr saltarín del perro pretendiendo manifestar su alegría de vivir con saltos que dejaban en el aire las cuatro patas. Pero pronto regresé mentalmente a la existencia de la legendaria sima descubierta por Francisco para mí. Es posible que tuviésemos que buscarla con mayor insistencia porque creía que toda leyenda tiene siempre un poso de realismo que la origina y compromete. Junto a ello, y confieso mi miseria al anotarlo, me hervía la sospecha de que Lázaro hubiera descubierto las maravillas de la sima y quisiera guardarlas únicamente para él. Mis celos habían descartado la interpretación de que se tratara de una metáfora de la realidad.

—Me gustaría que esa sima existiera —exclamé de repente—, que pudiéramos descender a ella y escuchar el sonido invitador que forma el oleaje.

—También a mí me gustaría —completó Lázaro—, al igual que a un conocido y gran caballero le tentó descender a la cueva de Montesinos, de la que decían maravillas, y cuya boca estaba oculta por zarzas y malezas que cobijaban a cuervos y grajos. Pero por aquí no he visto señal de brozas o ramaje que ocultase la boca de ninguna sima.

—Quizás no tengamos que buscar con la vista sino con el oído —propuse.

—Quizás —aceptó Lázaro sin asomo de convicción.

—¿Tú tampoco has oído ningún sonido de mar que te extrañara? —insistí.

—No —negó sin dudar—. Sólo he oído al viento, que por esta zona sopla fuerte, especialmente cuando es de Levante, que viene encendido.

Volvimos a abrazarnos al silencio mientras el perro se impacientaba porque las palabras no fueran también para él. Estuvo corriendo sin que le hiciéramos caso y ahora permanecía echado en tierra, con las patas traseras extendidas, y nos miraba para adivinar por dónde y cómo proseguiríamos charlando.

En verdad sentía curiosidad por saber las razones que habían conducido a Lázaro a recorrer enlutado y solitario las colinas. No era nada normal, ni siquiera para mí, aquel deambular de eremita que lo tenía prisionero de la soledad del desierto. La razón de mi conducta aislada sí que la conocía bien y me producía grima el recordarla porque aún no había ganado el día de sentir indiferencia. Mi mujer había decidido nuestra separación, bien aconsejada por leyes, y esa realidad no lograba esquivarla con los proyectos que construía mi imaginación. Me sorprendió de repente advertir cómo un fragmento de la realidad incidía ahora con su pasado sobre aquella mi ilusoria búsqueda de una sima. La tal incidencia me explicaba que el acogerme a una leyenda puesta en pie ante mí por el anciano Francisco no era sino descubrirme cómo se defendía mi cerebro con argumentos que pretendían cargar de olvido la relación con mi mujer.

Con todo, permanecía con la curiosidad de saber qué motivo, que no sería capricho, indujo a Lázaro a pasear las montañas cubierto de luto. Así que decidí abordarle escogiéndome como inicio.

—No hace mucho —comencé— un equivocado matrimonio me desterró de mi hogar y me condenó a rozar la pobreza en favor de mi mujer. Ésa es mi razón de encontrarme aquí. ¿Y tú? —le requerí.

—No, yo no estoy ni estuve casado, ni he tenido jamás contacto con esa situación. Mi caso es muy distinto, pertenece a un ambiente familiar dramático que persigo desterrar.

No sé si esperaba que le preguntara por aquella otra privación que lo arrojó al recorrido de las montañas, pero permanecimos sin hablar unos minutos. Luego, Lázaro se explayó:

—Nosotros éramos tres hermanos. Dos mujeres y yo. Mis hermanas tenían bastantes más años, de tal manera que casi parecía que yo tuviera tres madres y no sólo por edad sino también por el carácter. Especialmente la mayor, Angustias, ejercía un autoritario concepto del matriarcado.

Tuve la sensación de que en aquella mañana salida de la lluvia, ya limpia de nubes, podría descubrir la relación entre una leyenda y el discurrir solitario de Lázaro por la colina. Al menos, alimenté la sospecha de que alguna vez habría soñado escapar de su ambiente mediante el poder liberador de la palabra.

—Cuando murió mi madre se acentuó el afán de mandar de mis hermanas —prosiguió—. Ellas me explicaban con intención sibilina que la mujer era de condición perversa, que se iban apoderando de la voluntad masculina que tuvieran a su alcance. Una y otra vez me enseñaban que debería huir de las mujeres, que el tratarlas propiciaba el pecado.

—¿Y tus hermanas no se incluían en esa acusación?

—No, jamás. Ellas eran puras, sin contacto carnal,

estaban purificadas por su total entrega a cuidarme, a protegerme del mal. Incluso vigilaban el colegio religioso en el que estudiaba, interesándose por la actitud y las ideas de los profesores y los condiscípulos. De éstos preguntaban quiénes eran sus padres, qué vida llevaban. Y a los frailes del colegio le pedían qué tipo de lecturas convenía a mi educación, qué autores no eran perniciosos para mi edad.

—¿Y no te escapabas de esa tutela en vacaciones?

—Era imposible. En vacaciones se estrechaba más nuestra relación. De un modo más severo cuando nuestra madre murió. Entonces, Angustias solía repetir que debíamos estar más unidos, que el mundo éramos nosotros tres y que yo debería protegerlas, ampararlas, como ellas hicieron conmigo de pequeño. Era mi gran e irreducible deuda con ellas, cuyo cumplimiento vigilaba mi madre desde el cielo. Recuerdo como una pesadilla el largo sermón que me lanzó Angustias cuando ingresé en la universidad.

—Pero la facultad te liberaría de ese clima, ¿no?

—Muy poco. Mis hermanas decidieron que estudiara Filología Clásica. Les parecía que era un mundo lejano con el que no podía pecar. Incluso me regalaban libros de autores clásicos. No, por supuesto, de poetas como Ovidio, Catulo o Propercio, sobre los que alguien les advirtió que eran peligrosos. Pero en clase tuve que leerlos y comencé a advertir que existía otro mundo distinto y mejor al que también yo tenía derecho. Casi me avergüenza reconocerlo. También comencé a mirar a las chicas, a las compañeras de curso, y fui aprendiendo que si amar era importante también lo era la forma de hacerlo, por lo que convenía cultivarse con la poesía para salvar la selvatiquez de la naturaleza.

La confesión de Lázaro me iba sorprendiendo. No podía imaginar que existiera un mundo familiar como el que me estaba describiendo.

—Por supuesto —prosiguió—, yo le ocultaba a mis hermanas que tenía algo de amistad con mis compañeras, prestándonos apuntes o conocimientos. Una vez que mi hermana Angustias me sorprendió a la salida de clase intercambiando apuntes con una chica me cogió del brazo y casi me arrastró a casa, afirmándome que aquella compañera pretendía engatusarme para hacerme su esclavo. No tuve más remedio que soportar el sermón calumnioso de mi hermana. Sin embargo, en silencio y ocultamente, yo estaba reconociendo el amor a través del mirar de aquella muchacha que se llamaba Amelia. De sus ojos brotaba un algo distinto, no sé cómo llamarlo, que me ofrecía otro mundo, la posibilidad de soñar.

—Pero tus hermanas...

—Mis hermanas —me interrumpió—, sobre todo Angustias, dedujeron que mi naturaleza había llegado al punto de exigir la experiencia de la carne y que Amelia era un peligro. Entonces, ignoro de dónde lo sacarían y si sería cierto, que ya suponía que no, me explicaron que también un padre jesuita sentía la provocación y necesidad carnal que yo experimentaba y le permitían que algunas noches saliera del convento y visitara los aledaños de la Plaza Antigua, por donde se extendían las casas de prostitución de la ciudad. Por tanto, me aseguró Angustias, no sería un acto virtuoso, pero sí justificable el que también yo visitara alguna de aquellas casas, en la que debería pagar y marcharme rápidamente en cuanto saciara mis apetitos.

—¿Y con esto —casi me indigné— olvidaste la mirada de Amelia?

—No, no la olvidé. Pero ya era distinto. Con frecuencia me sentía sucio a su lado y fuimos distanciándonos. Además...

—Sí, continúa —le animé.

Además, al poco tiempo, supe por una de las prostitutas que trataba que lo del jesuita mencionado por Angustias era falso. Por aquel barrio nunca apareció un jesuita y ellas lo sabían muy bien porque los sacerdotes entonces aún llevaban tonsura y nadie tonsurado en la coronilla apareció jamás por allí. Aquel calumniar de Angustias para alejarme de Amelia me abrió bastante los ojos.

—¿Y volviste con Amelia?

—No, no me creía con derecho para poder amarla. Nos fuimos distanciando y ahora sé lo estúpido que fui. Inducido por mis hermanas me enfrasqué más en los libros, me apasionaba ser el número uno de la clase, estudiar para rendir unas oposiciones y acabé logrando la cátedra de Filología Clásica. Bueno —intentó sonreír—, acabé recorriendo la soledad de las colinas.

—¿Y tus hermanas? —inquirí.

—Mis hermanas murieron. Primero Angustias y enseguida la otra. Imagino que viajarían juntas al infierno y esperarán que las siga cualquier día cumpliendo la obediencia.

—Está el sonido de oleaje de la sima.

—No, no existe ninguna sima, no seas terco.

—Sí, ya te has liberado de tus hermanas y puedes soñar.

Lázaro sonrió negando la viabilidad de mi propuesta y comenzó a lanzarle al perro una pelota maciza de goma que guardaba en el bolsillo. El perro corría tras la pelota y la velocidad le extendía las largas orejas como si fueran un anuncio de poseer alas peludas. Era hermoso contemplar la escena después de escuchar la presión fraterna que había soportado Lázaro.

—¿Y el luto? —le pregunté—. ¿El traje y el sombrero negros que llevas?

—Cuando murió mi madre, mis hermanas me pusieron de negro riguroso. Ya sabes que era una antigua costumbre. Ahora, supongo, llevo luto por mí, por cuanto he perdido.

—Aún eres joven y tienes tu cátedra —le animé.

Encontré su mirada buscando el calor de la amistad. De pronto aprecié cómo el mito o la leyenda se alejaban de mí y me llegaba la realidad del ser humano con sus benditas contradicciones y miserias. Pensé que la maga Circe hubiera sacrificado su simbolizar la hostilidad del mundo natural frente al hombre con tal de vivir como simple mujer en cualquier isla junto a su amado Ulises.

III

Aquella mañana la tristeza me levantó de la cama echándome en cara el pasado. Así que apenas bañado en el mar cogí la bicicleta y tomé la vereda del pueblo. Casi en la misma entrada, un poco más allá del lujoso hotel Don Juan, había un comercio en el que adquiría lo necesario para mi sustento, que cuando era abundante me acercaba a la playa en un hiposo motocarro. Aquella mañana ansiaba encontrarme con Francisco para con su ayuda intentar recuperar mi pasado hasta llegar a un punto del presente cercano desde el cual poder dibujar una trayectoria distinta a la que me había conducido a protegerme en la soledad de la playa. De este modo dejé la bicicleta en la heladería de la plaza, como hice costumbre, y me dirigí a uno de los bancos de la glorieta, justamente al que estaba frente a la casa en la que yo quizás naciera, y me dispuse a esperar a Francisco. El sol comenzaba a picar, la gente se movía ya echando los días de septiembre hacia atrás, queriéndolos aún estivales. Miraba cuanto abarcaban mis ojos deseando apagar mi más reciente pasado en una novedad que me fuera presentada por la juventud que se había quedado allí, en los atardeceres de la glorieta y en la explanada del casino, donde antaño se bailaba al son de una orquesta veraniega. Distraído con la maraña de estas vaguedades no me percaté de que Francisco venía hacia mí por el costado que daba al ayuntamiento.

—Buen día —me saludó en tanto que se apoyaba en el cayado para sentarse.

—Buenos días, Francisco —me alegré al recibirlo.

Permanecimos en silencio unos minutos, tal vez aguardando la palabra adecuada con la que brotara el fluir de un diálogo escondido. Al instante, e inesperadamente, el anciano me objetó:

—¿Por qué me llamas Francisco?

Sonreí sin saber responder y él amplió:

—Me llamo Alberto, es un nombre que nunca me gustó, pero es el mío. ¿De dónde sacaste el nombre de Francisco para mí?

—No sé —respondí—, tal vez se lo escuchara a alguien en la heladería mientras le señalaba. O, simplemente, imaginé que usted se llamaría Francisco. No Paco, sino Francisco. Lamento la equivocación.

—Carece de importancia. La verdad es que Francisco, no Paco —y sonrió—, me gusta mucho más que Alberto. Llámame como quieras, a mi edad lo importante es que puedan seguir llamándome y yo responda.

La verdad es que no me arrepentía de llamarle Francisco y rápidamente relacioné mi equivocación con una conversación anterior en la que se lamentaba caminar hacia el olvido, sin que ya lo nombraran, cuando nombrar era importante por su apelación a la existencia. Recordé cómo para que una persona perviviera a veces se la transformaba en personaje dotándola de un nombre distinto. La literatura estaba llena de personajes a quienes se les había inventado un nombre para ocultar o disimular el que en realidad tenían y que fue relegado. Alberto García Palazón perdió para mí este nombre para cobijarse bajo el de Francisco, más propio para mi heterodoxo caminar.

Me pareció que Francisco repasaba con la vista las fachadas de los edificios que teníamos delante. Murmuraba algo nacido de la memoria y pensé, guiado por la egolatría, que estaría repasando el nombre de los inquilinos de aquellos hogares con el fin de descubrir en cuál habría nacido yo. Debió de darse por vencido y manifestó:

—Allá por la Navidad de mil novecientos dos, mucha gente se reunió en esta glorieta para alegrarse con la llegada de la luz eléctrica al pueblo, que desbancaba al alumbrado de gas que tenían los faroles. Entonces yo no había nacido, y lo sé por mis padres, quienes me hablaban de cómo las familias pudientes que paseaban en serré o cabriolé de caballos instalaron pronto la electricidad en sus casas, ante cuya luminosidad se extasiaba el pueblo.

Francisco hablaba muy deprisa relatándome aquellos años, hasta el punto de que apenas si podía retener anécdotas como el hecho de que un inglés empleado en el ferrocarril británico fue quien proyectó la sustitución del viejo alumbrado de acetileno por el de gas, o cómo el gran balneario Niágara, centro de culturas y amores, ardió plenamente en la mañana de un marzo de 1913.

—Tiene usted buena memoria —le atajé, con el fin de hallar pausa.

—No, no creas. Es lo que retengo de cuando era niño y escuchaba a mis padres. Supongo que por ello, aunque carezco de estudios superiores, me animaron a que ejerciera de cronista del pueblo. Pero ya te dije que no acepté, que no me manejaba bien entre documentos y datos. Aunque sí me quedé con algunos nombres, como el de tu antepasado don Juan Jiménez Crouseilles, que fuera alcalde del pueblo y que poseía una balandra de sesenta y ocho toneladas.

Yo guardaba silencio con la esperanza de contaminar con él a Francisco, aunque era verdad que apreciaba el regusto de rozar la historia cuando el anciano mentaba a algún miembro de la familia, especialmente a mi abuela Isabel o a mi padre. Pero yo había buscado el encuentro con Francisco en aquella mañana para descargar en él la historia cercana, sufrida por mí, que me había conducido a la casa de la playa en cuyo derruido patio trasero aún pervivía una palmera no lejos de la higuera.

—¿Usted no tiene nietos? —le pregunté.

—No, no los tengo —respondió secamente—. Tampoco tengo hijos y, vistos los tiempos actuales, también tuve suerte de no casarme.

Esperó alguna respuesta por mi parte y no hallándola, me espetó:

—¿Y tú?

Era la pregunta que yo apetecía desde que le escuché a Lázaro narrarme en las colinas la negra y estúpida dictadura de sus hermanas. Si yo le contaba a Francisco mi desgraciada situación sería como compartir internamente con Lázaro la razón de su abrazar la soledad que paseaba por la montaña y establecer de ese modo un callado diálogo entre nosotros.

—No, tampoco yo tengo hijos —respondí al fin—. Pero sí tuve mujer, una mujer que me abandonó después de tres años de matrimonio.

—Dicen que tres años son los de prueba. Eso dicen, que yo no entiendo.

La última frase la pronunció con cierto tono de ganada experiencia, y al notar que yo lo captaba estimó oportuno explayar:

—En mis tiempos era casi necesario casarse, parecía la única forma de poseer una mujer que realmente te gustara. Yo pude resistirlo, aunque estuve cerca de ceder. Hoy es distinto, hoy no se necesita el matrimonio para ciertas cosas. Y se evita uno todos esos problemas y pleitos que continuamente vemos u oímos, ¿no le parece?

—¿Usted ahora no echa de menos una mujer?

—La verdad es que en algún momento sí la añoro, aunque no lo digo por si alguna me escucha y llega. Pero abro los ojos y veo cómo está el panorama y se me borra cualquier nostalgia de haber perdido el pasado. No, no gira la vida igual que antes. ¿Tú echas en falta a la mujer?

Había apetecido esa pregunta con el fin de liberar mi pensamiento de fantasmas opresores y ahora que la escuchaba no sabía responderme. Dije:

—Creo que he perdido por completo unos años irrecuperables.

—Los años que pasan siempre son irrecuperables.

—Pero dejan una huella, el sentimiento de haberlos poseído. Es muy distinto del inmenso y profundo vacío que yo tengo; de la sensación de no haber existido realmente y ser sólo el receptor de una deuda que se reclama.

—¿Fue mucho lo que tu mujer reclamó?

No me había referido a ninguna cuestión económica. No obstante, la pregunta de Francisco me trajo la imagen de la casa de la playa que habitaba. La percibía claramente con su terrao de tierra negruzca que intentaba cubrir un techo de carrizo unido con sogas de esparto y colañas de madera. Veía las rejas de madera que no protegían nada y el piso de ladrillos levantados; el intenso olor de húmedo abandono que despedía el interior y los restos de una lumbre perdida que se sostenía en el patio, frente a la palmera de hojas abatidas. Ésa era la imagen externa de la deuda que estaba pagando y que salvaban un poco mi fijación en el mar y el poder levantar la mirada hacia las colinas por donde hallé a Lázaro recorriendo sus gibas.

—Sí —respondí al rato—, fue bastante lo que mi mujer me reclamó.

—Creo que ahora en los divorcios o separaciones es siempre el hombre el que paga. Por aquí hay una que vive como una reina a costa de lo que le pasa el marido. Y creo que si quiere, hasta puede casarse otra vez y todo.

—No sé —respondí—, en mi caso actuó un abogado mediador que me aconsejó, para no andar de pleitos, que dejara la casa donde vivíamos para ella y aceptara conceder la asignación económica que el juez dictara. Por lo visto, y yo lo ignoraba, debí hacer muy mal todas las cosas ante la ley.

Agradecí en la mirada de Francisco que no me compadeciera extendiéndome su lástima. Más bien creo que se alegró porque mi confesión le ratificaba su acierto de abrazar la soltería. No obstante, con prudencia, quiso indagar:

—¿Y por qué os separasteis?

—No sabría decirlo —respondí—. Tal vez fuera que se aburriera conmigo; que en los primeros años le agradaba que yo echara horas y horas en la empresa con el fin de ascender y después tanta dedicación le cansara, aunque le compré una televisión con el fin de que no se aburriera sola en casa.

—¿No tuvisteis hijos?

—No, no tuvimos hijos. Y a mí me hubiera gustado.

—¿A ella no?

—Ella decía que era demasiado joven para eso. Y realmente lo era.

—Mi madre tenía dieciséis años cuando me tuvo —explotó.

Entendí que ya no tenía más interés de continuar con aquel asunto. Lo agradecí, porque yo me acercaba al pueblo desde la casa de la playa para, como dije, recomponer mi pasado. Una vez conseguido el olvido de mis años de casado pretendía ir recordándome, sin intromisiones de la actualidad, hasta llegar al punto en el que abandoné el pueblo y comencé a ser otro distinto al que ahora deseaba borrar. Pero el pueblo no me ayudaba mucho, se había transformado y lo paseaban rostros que eran desconocidos para mí y a quienes no me atrevía a preguntar apreciando que iban demasiado aprisa. Francisco, en cambio, medía lentamente sus pasos, sin precipitación. Seguro que por ello decidí abrazarme a su compañía.

Lamentaba que Francisco, por legítimo nombre Alberto, no hubiera aceptado el puesto de cronista del pueblo. Con ese cargo él habría podido estimular con sus citas mi imaginación en su búsqueda de un pasado que se constituiría en historia. ¿Qué otra cosa era la historia sino la imaginación de un pasado que el hombre miente para su provecho? Como los mitos, el hombre necesitaba la historia para creerse en la herencia de la vida, en la construcción de sí mismo. Los enemigos de la historia eran los suicidas, quienes ya no aman la vida.

—¿Cuántos años lleva en el pueblo? —le pregunté.

—Toda la vida —respondió—. Salvo los meses que hice la mili, que me tocó en Melilla, el resto siempre estuve sin salir de aquí. A mi regreso de Melilla comprendí que no había aprendido para saber vivir en otro sitio. Lo contrario de un primo hermano mío que se marchó a Barcelona con la mili y allí conoció el sistema de moverse por medio mundo. Pero no me da envidia.

—¿Y qué es de ese primo suyo?

—No sé, puede que esté muerto, no sabemos nada de él.

La respuesta me condujo a la idea de que quizás le leyenda de la sima abierta al mar, contada por el propio Francisco, pudiera ser la mentira de una historia en la que se encubrió cierto autor para ser recitado y que las lenguas lo repitieran dándole existencia aunque no dijeran su nombre. Yo mismo, empeñado en buscar la sima e instando a Lázaro a ello, había aceptado recitar la mentira en la que un antepasado humano desconocido quiso existir cuando se acabara la concesión de sus años. Pensé súbitamente que el mundo era el producto de una invención que los científicos crucificaban con realidades coercitivas.

Ello me llevó a preguntarme por qué no inventaba yo otra leyenda como aquella escuchada sobre la sima en cuya hondura se oía el oleaje del mar. Por ejemplo, podría pergeñar la antítesis de mi experiencia de casado. Realmente, cuando habitaba con mis abuelos en la casa de una plaza de nombre cambiante, según qué político ejerciera, yo era un joven al que no despreciaban las zagalas. Creía que mi abuela sentía celos de que las atendiera en vez de hacerle caso a ella, y por las noches, antes de que escapara hacia la terraza del casino para bailar, mi abuela me retenía un poco sermoneándome respecto a que no debía entretenerme descuidando los estudios. Luego mi abuela me acariciaba con la mirada, sonreía y me ordenaba: «Anda, vete con los amigos.» Y yo me marchaba corriendo al encuentro con ellos, quienes ya me tenían guardada una silla en la explanada que había frente al casino, en cuya pista se bailaba *La mer* o *L'âme des poètes* que con su alma francesa se resistían a perecer.

—¿En qué piensas? —me interrumpió Francisco.

—En cosas que se fueron —respondí.

—Como dice el adagio —sentenció—, nada se va ni nada viene, sólo se transforma.

—Eso se dice de la materia —corregí indebidamente—. Lo dicen de la materia.

—¡Qué más da! —exclamó—. Lo importante es que tú saques las cosas y los seres que se te fueron y los vivas de nuevo, seas en ellos otra vez.

—Pero no regresan —insistí.

—Me parece que te ha dañado en exceso la gran ciudad. Te has acostumbrado demasiado a vivir sólo el presente, lo que podías tocar y destruir con tus manos en el momento y te has arruinado.

Era la primera vez que me llamaban arruinado y me sorprendió un poco. Y Francisco me lo llamaba no porque hubiera perdido a mi mujer, mi casa y parte del sueldo, sino porque le parecía menguada mi riqueza interior.

—Pensarás —prosiguió— que son cosas de viejos, pero todos, si no mueren antes, tienen que recorrer la vejez, habitarla, y conviene tener preparada la compañía de la memoria para dialogar con ella.

—¿Usted lo hace?

—¡Claro que lo hago! Siempre se nos quedan descolgadas del tiempo muchísimas presencias, infinitas palabras que no dijimos y que nos gustaría pronunciar cuando ya no podemos porque el interlocutor ha fenecido. Pero eso no es totalmente cierto, si tenemos viva la memoria, ya que por la memoria podremos recuperar a esas personas con el recuerdo y hablarles, decirles lo que otro tiempo frío impidió. Hablar con los que presuntamente han muerto es un acto agradable, es un signo de civilización. Aunque ahora parezca negarlo esa obsesión creciente por el dinero, por alcanzar beneficios, que nos ha entrado a todos y que nos deshabita de la condición humana.

Tuve la certeza de que Francisco hablaba con frecuencia con sus amigos y familiares que habían fenecido. Y creo que hablaba conmigo para trasladarme algo de aquello que dialogaba con los difuntos. Aseguraría que incluso aquella notificación de mi antepasado don Juan Jiménez, que fue alcalde del pueblo, se lo había escuchado un día de éstos a su padre y por ello pudo comunicármelo. Al igual que el incendio del balneario Niágara donde tantos encuentros se quemaron con sus tablas hendidas por el aire de mar. Un hombre era heredero de otro hombre, también por la palabra llegada.

—¿Buscas algo concreto en el pueblo? —me preguntó Francisco.

—No lo sé —dudé—. La mitad de mi familia está enterrada aquí y ni siquiera sé el medio de encontrarla.

Francisco no añadió nada, pero advertí que me miraba con lástima. Con una lástima que no se produjo cuando le conté mi divorcio y sus repercusiones económicas. Podría asegurar que su mirada de compasión también se extendía hacia él mismo, como si mi situación fuera un espejo en el que se contemplaba su soledad. Porque aunque hubiera afirmado que una vez muerto ¿qué importan las vanidades?, Francisco tenía la soledad que preanuncia la muerte y lamentaba que, cuando muriera, nadie lo acompañara al cementerio recordándole cosas del pueblo, algo de la vida recién dejada atrás. Era la de Francisco una mirada compartida y bañada en la despedida que yo reconocía percibida por mí cuando me sentaba en una roca cercana a la playa y veía llegar las olas mansamente y esconderse en la arena, sin que fuera capaz de contarlas con la conciencia de que se perdían para no repetir su llegada. Cada ola tenía su forma, su tiempo asignado de llegada para mojar la arena, y me absorbía ver descender la ola lánguidamente hasta fracturar la trayectoria de la que seguía en un intento vano de permanecer en su herencia.

Me afirmaba que deseaba vencer hasta poder anular mi situación actual y me decía que tendría que acercar la invención a mi pasado; convenía aceptar que la vida era una innovación permanente, tal como afirmó Francisco, y que era preciso sentirse creador de la propia existencia frente al cómodo abandonarse.

—Es lo que usted me señaló —dije inesperadamente.

—¿Qué señalé yo? —se extrañó Francisco.

—Creo que me dijo que era necesario que me sintiera creador de mi propia existencia.

—¿Eso afirmé yo? —ironizó—. Suena bien. Es como uno puede paladear la auténtica libertad, más allá de las leyes y las contraleyes.

—Tengo que proponerle también esa creación a Lázaro, al paseante enlutado de las colinas.

—Y de camino propóngale que se procure otro traje menos oscuro. Si se acerca con él a la noche, parecerá un fantasma y alguien puede soltarle un tiro.

—Está triste —definí—. Tuvo mala suerte con la familia.

—Me lo figuro. Hay que estar un poco desesperado para vagar así por las colinas.

—Quizás, aunque lo niega, crea en esa leyenda de una sima mágica que usted me contó y está buscándola como un pozo de salvación.

—Bueno —sonrió—, de pequeño me enseñaron en la escuela que una leyenda era el producto de una tradición que magnificaba y hacía maravilloso un suceso real. De este modo puede que Lázaro escarbe en la leyenda hasta encontrar la realidad que la forjó.

—Desde hace unos días, Lázaro se acompaña de un perro pequeño de orejas largas y rabo cortado que está enormemente alegre de haber encontrado un amo. No sé dónde hallaría al perro.

—Posiblemente anduviera abandonado en la rambla.

Recordé entonces que a mi ex mujer no le gustaban nada los perros. Siempre se opuso a que los tuviésemos porque decía que manchaban la casa, se subían en el sofá y además transmitían enfermedades en el hígado o en los pulmones como el quiste hidatídico. Esto último se lo había manifestado un primo enfermero que trabajaba en el hospital y que fue su medio novio de pequeños. No tuvimos, claro está, jamás un perro y cuando encontraba alguno en la calle tenía que acariciarlo sin que ella se percatara. En verdad, ni los niños ni los perros le gustaban lo más mínimo. Creo que tampoco la humanidad. Su gusto eran los escaparates, taconear en la calle y descansar en la butaca viviendo sin imaginación una telenovela. Pero aun así la quise, la pude amar más allá de la atracción física que al principio me conquistó y que acabó siendo una rutina semanal como podía ser ducharse o ver los partidos del domingo por la tele, mientras ella hablaba y hablaba con una vecina cotorra que conocía al detalle las vidas que promocionaba la pantalla. Ahora sé que fue entonces cuando comencé a contrastar aquella vida insulsa de pareja con mis años en el pueblo junto a un perro pastor alemán que estaba en casa de mis abuelos y que podía correr libre por la casa sin temor a que alguna vez dejara en el piso la huella de sus patas.

—¿Sabe una cosa? —le formulé a Francisco.

—¿Qué? —pareció interesarle.

—Estoy cambiando. Creo que desde que hablé con Lázaro, he comenzado a contrastar mi vida de casado con la libertad que tuve aquí, en el pueblo. Incluso creo que es una suerte no tener luz eléctrica en mi casa de la playa porque así no veo la tele y puedo componer proyectos, ideas, mientras oigo el mar. O leer, que casi lo había olvidado, y fue mucho lo que leí de joven. Puede que también de esa huida de los libros me contaminara mi mujer. Ella no cogía ni el periódico.

—¿Y no recuerdas nada bueno de ella?

—Sí, las paellas. Su madre le había enseñado en la cocina y sabía hacer de comer muy bien. Le apetecía que viniera alguien a casa para así mostrar su arte culinario. A mí no, reconozco que a mí no me apetecían las visitas y que alguna vez discutíamos por ello. Mi mujer tenía muchas amigas que venían a casa y cuyos nombres me tenía que aprender bien para no confundirlas, cosa que a mí no me importaba.

—Yo nunca tuve esos problemas —sonrió Francisco.

—Lo supongo —asentí—. Pero tendría otros, siempre existen problemas.

—Sí, y más graves. Fui sintiendo que los amigos se iban yendo y dejándome sin posibilidad de conversar sobre lo que tenía o no importancia. Tuve que cursar en el noviciado de la soledad.

El sol nos estaba inquietando con su insistencia y

nos levantamos para ir al costado de la iglesia, a los bancos que en aquellas horas recogían la sombra. Miré hacia la esquina, hacia la calle que conducía al casino y al puerto.

—Ya no está —exclamé.

—¿Qué no está? —preguntó Francisco.

—La botica, la farmacia de Moreno.

—Hace años que se transformó en una tienda de complementos femeninos, en una *boutique*, según se dice ahora.

La verdad es que había mirado la esquina buscándome en aquella noche de Navidad, víspera de Reyes, en la que estuve escogiendo un regalo para Blanca.

De pronto, en la mañana del día anterior, reapareció Blanca en mi memoria de un modo inesperado y persistente que parecía querer ocupar, alejándolos, los tres años de mi matrimonio. Me agradó muchísimo la visita de Blanca en semisueños y no quería despejarme. Era reconfortante sentir de nuevo el calor de su cuerpo, sus dedos buscándome entre el cabello los pensamientos. Sentía que era evidente que continuaba amándola, que la deseaba. Blanca fue la última mujer que amé antes de abandonar el pueblo para ir a estudiar Biológicas y en esa mañana, en la soledad de la playa, sonreí al recordar que más de una vez le había entregado unas poesías, supongo que muy malas, dedicadas a ella. Después, confieso que mi buscado encuentro con Francisco en este hoy obedeció primordialmente al interés de preguntarle por Blanca Ferrer, la hija de don Máximo Ferrer, quien nunca miró bien a mi familia. Y ésta era la hora en la que aún no me había atrevido a preguntar por Blanca, temiendo que no estuviera en el pueblo.

Permanecíamos en silencio y Francisco me miró fijamente queriendo recabar atención.

—Te agradezco —me dijo— que quieras conversar conmigo, escucharme, y procuro no contarte mis batallitas. Al hombre le es necesario hablar y yo he despedido a tantos amigos con quienes la última conversación fue camino del cementerio, que ya casi no me quedan compañeros para discutir.

Volvió a establecerse el mutismo. Mi egoísmo me tenía concentrado en el físico de Blanca, en acariciar la belleza de sus formas, y oía el rumor de las palabras de Francisco al igual que oía el sonido de las olas buscando parsimoniosamente la orilla. Francisco proseguía alimentándose en su discurso.

—Creo —decía— que de pequeños, en el colegio, no imaginábamos que la muerte existiera. Oíamos señalar que alguien había muerto, y pensábamos que eso sucedía en otra tierra, en otro lugar lejano e inexistente. Los únicos seres que morían eran los personajes que estudiábamos en la historia: los Reyes Católicos, Cristóbal Colón, Napoleón... Ésos sí podían morir, estaban muertos y querían volver a vivir saliendo de las páginas del libro. Lo intentaban y no podían porque cerrábamos el libro que era viejo, gastado por el uso.

—Sí —pretendí incorporarme—, de pequeño discurría yo de forma análoga.

—Es curioso —se animó— cómo de pequeños, y aun de jóvenes, le empujábamos al tiempo con la pretensión de que corriera, y el tiempo nos parecía un cojo que anduviera lentamente, tan torpe como yo camino ahora.

Instintivamente, miré los pies de Francisco manteniendo entre ellos su cayado blanco de pastor, y me figuré que el tiempo podría estar esperándonos en un banco cercano.

—Pienso —se explayó— en que a veces, en el invierno, me siento un suicida ante el tiempo. Deseo que pasen rápidamente los días, que mueran, para que lleguen el sábado o el domingo y ver por televisión los partidos de fútbol. Y algo igual me sucede en verano, que deseo que transcurra para que empiece la temporada de fútbol.

Hizo una pequeña pausa y completó:

—Claro que mi suicidio respecto al tiempo, queriendo que pase, no es otra cosa que la respiración de mi soledad. Ya ni me quedan amigos con los que discutir los partidos.

Consideré que era el momento de preguntarle por Blanca, de regresar a lo que me interesaba y había paladeado mientras se acercaba pausado mi despertar en aquella mañana. Así que pregunté decidido:

—¿Sabe usted de una chica que se llamaba Blanca, Blanca Ferrer?

—¿La hija de don Máximo? —quiso precisar.

—Sí, ésa.

—Recuerdo que era una zagala muy mirada por los jóvenes de la época.

—¿Vive aún en el pueblo?

—Sí, su padre y su hermano murieron, pero ella sí vive. Como sabrás, don Máximo tenía un gran negocio con la barita, y también se perdió. La pobre Blanca se quedó muy sola.

—¿Está soltera todavía?

—No, no. Se casó con un Pellicer de Guzmán, mala gente. Hasta las pestañas perdió jugando a las cartas en Murcia y con ello arrastró la hacienda de Blanca. Ahora el pollo también está dedicado a beber. ¡Todo un personaje!

Conforme escuchaba a Francisco comprendía, e ignoro si aceptaba, que debería darle un sentido más pragmático a mi vida. Creo que entendía apreciar la vida como una innovación permanente apoyada en la invención del propio pasado. Era la actualidad, el día abierto a la vida, la que iría proponiendo la innovación continua. Miré a Francisco fijamente queriendo adivinarme en él. Tendría que aprender a huir de la actualidad o a transformarla aceptando su realismo. Ahora, recogiendo las últimas frases de Francisco para apoyarme en el recuerdo de Blanca, me sentía un completo fracasado. Tenía la seguridad de haber estado siempre en desacuerdo con la vida que me comprehendía. Mi ex mujer, mi trabajo en una empresa, todo, proclamaba mi fracaso. Es curioso que quise recordar el nombre de mi mujer en aquel instante y no podía recuperar cómo se llamaba. Lo intenté, porque era absurdo que lo hubiese olvidado, pero la verdad es que no podía pronunciarlo. Había perdido su nombre. Contrariamente, me acudía alentadoramente el nombre de Blanca. Cerré los ojos queriéndola bañar de realidad en mi mente. La veía reír, festejar la vida al igual que cuando le dije que me marcharía a Madrid para estudiar Biológicas, sin que yo supiera realmente en qué consistía esa carrera.

—Pero no estudiaste Biológicas —le oí proclamar a Francisco.

—No, no cursé la carrera, no era lo que yo pensaba. Tenía asignaturas como Biomatemáticas o Bioquímicas o Bioestadística que no me iban. Ni siquiera ahora sé lo que me apetecía.

Era uno de mis fracasos. Me matriculé en Biológicas porque en casa me negaron que estudiara Filosofía, que era lo que a mí me gustaba y creía compaginable con aquellas poesías que componía para Blanca e iba dándole de vez en cuando.

Sacudí la cabeza como si una abeja me rondara por ella y Francisco se extrañó:

—¿Te ocurre algo?

—No, nada —sonreí.

Francisco me miró y quiso extender el silencio sobre nosotros en espera de una acordada realidad que pudiera manifestarse.

Ignoro cuánto tiempo estuvimos ocupados por ese silencio. Sí sé que me llegaban voces apagadas que recitaban como un denso eco mi fracaso haciéndome sentirlo y admitir la estupidez de mi voz cuando la creí compañera del progreso o la novedad. Me avergonzaba de tal puerilidad y buscaba el nombre de Blanca con el fin de borrar esa época y partir con ella de aquel atardecer en el que nos despedimos. Como si la vida pudiera repetirse recogiendo las personas que fueron y se perdieron ante otras nuevas. No sé cuánto tiempo se consumió con nosotros en aquel banco de la glorieta, desde el que pretendía que por la calle apareciera Blanca con la misma edad que entonces teníamos y la misma certeza de que los sueños existían para ser habitados.

Francisco se había despedido sin que yo lo advirtiera a pesar de estar sentado a su lado. Supongo que yo latía bajo la obsesión de encontrar a Blanca y escuchaba mi propia voz hablándole, explicándole que ahora vivía en las afueras, en una arruinada casa cuyos muros aguardaban que el mar se los llevara para recuperar bajo las aguas aquel viejo día en el que nacieron y cobijaron la albura de las nacientes palabras.

—¿Y por qué te has refugiado allí? —me preguntaba.

—Supongo que porque allí no me mira nadie —le respondía.

—¿Huyes ahora de la gente?

—Sí, es posible. Me escondo de la gente para esconderme de mi fracaso de vivir. Sin embargo me alegró descubrir que en las colinas paseaba una persona vestida de negro a la que me entraron ganas de conocer.

—¿Y subiste hasta la colina para verlo?

—Sí —le respondía—, ascendí hasta la cima y le hablé de una sima misteriosa donde se escuchaba el mar.

La miraba. Miraba fijamente a Blanca mientras le hablaba de la leyenda y ella no se extrañaba de que hubiera galerías subacuáticas en las que el tiempo tenía la medida de ser a la vez todos los tiempos. Me escuchaba y yo la amaba, la amaba aún más por creerme, por su capacidad de imaginar lo que enunciaban mis palabras.

—Lo más grave que nos sucede es que ya no entendemos el mundo y carecemos de imaginación para suponerlo.

Blanca continuaba escuchándome y admitía lo que yo decía como hacía años que nadie me atendió. De este modo sentí que mis palabras adquirían un cuerpo, una imagen que era dibujada por el sonido de lo que pronunciaba como si fuese una criatura. Comprendía que hablar era así darle cuerpo a la voz de las palabras. Con lo que era lógico que dijese el nombre de Blanca, que quizás lo gritase, y el sonido de pronunciar Blanca me concedió la visión de aquella muchacha ridente, increíblemente alegre y hermosa, a la que le escribía poesías de amor.

Se conoce que pronuncié Blanca con voz más alta de la prudente y se me acercó alguien desconocido.

—¿Le ocurre algo? —me preguntó.

Sí, claro está que me ocurría algo, algo maravilloso. Pero ¿cómo explicárselo a ese alguien? ¿Cómo referir que estaba recuperando el valor de que la palabra fuera a la vez sonido e imagen? Decir Blanca y poder abrazar su imagen y escucharla.

Me despertó la voz de ese alguien que no necesitaba acompañarse de imagen al tenerlo presente. Lo contemplé vagamente, mientras sonreí, y pude apreciarlo tal como la realidad nos permite apreciar a un semejante desconocido.

—No, no me ocurre nada. Es que estaba dormido, tal vez soñando.

Me miró fingiendo comprenderme mientras recibía el sonido de mi agradecimiento por su interés, y fuese.

El sol quería ocupar el banco donde estaba sentado y me levanté dejándole el sitio. Quería buscar a Blanca, renovar la vida después de aquel anochecer, con presagio de despedida, en el que estábamos en su casa, donde tanto habíamos sido, y ella, en el quicio de la puerta, me dijo bésame y lo hice varias veces.

Caminé por la acera del casino hacia el puerto. A mano derecha veía el castillo asentado sobre la roca. La edificación urbana había crecido ocupando la falda de la montaña, como si quisiera ascender al castillo y ocuparlo para atrapar la mirada de lo extinguido y vigilar el futuro. Se pretendía invadir el castillo al igual que se invadió toda la costa mediterránea robándole al mar su perspectiva. El mundo que ya no entendíamos era el producto de una continua invasión de ideas y de materia que no podía cejar. Las personas nos invadíamos unas a otras y todos éramos invadidos para provecho y vanidad de quienes gobernaban económicamente y nos jugaban en las guerras.

Pero yo, ahora, únicamente deseaba encontrar a Blanca y que aprendiéramos a hablarnos nuevamente. De algún lugar cercano al puerto me llegó una vaharada de fritura de pescado que me animó a entrar en el restaurante. Los días que me alejaba de mi aislada casa de la playa para llegarme al pueblo los aprovechaba para resarcirme de mi habitual frugalidad alimentaria.

Después de comer en las cercanías del puerto, al pie de la montaña, me dediqué a recorrer el pueblo a la búsqueda de señales que me acercaran el latido de Blanca. Paseé por las cercanías de su antigua casa, hacia el camino de la Carolina, junto a la Casa de los Ingleses que ya veía destruida. Todo me parecía cambiado, alejado de mis recuerdos porque también éstos se habían dejado presionar por efímeras actualidades. Al final de mis merodeos, cuando la tarde se refugiaba del calor, me tropecé casualmente con un centro cultural en el que, junto a una exposición de pintura, se ofrecía un ciclo de conferencias que, leí, coordinaba el profesor Ramón Jiménez Madrid, nombre que me sonaba sin poder relacionarlo con mi pasado. Recordé al instante que Blanca y yo habíamos asistido juntos a ciertos acontecimientos literarios, así que me animé a penetrar, disimulando mi orfandad, en aquel recinto donde se anunciaba que disertaría un escritor nacido en el pueblo y residente en otras tierras.

Me acomodé en una de las butacas centrales, desde la que podía registrar el movimiento de las personas con la esperanza de encontrar a Blanca. Me iba entristeciendo un tanto el no ser capaz de reconocer ningún rostro, el de haber perdido tanto en poco más de veinte años. El coordinador y presentador del acto, Jiménez Madrid, comenzó a señalar lo feliz que se hallaba por tener allí al conferenciante, con lo que me motivó a intentar fijarme en su rostro para registrarlo en la memoria. Era un hombre entrado en la vereda de la ancianidad, con el pelo casi blanco, y fácil a la sonrisa. La edad le había debilitado la tersura de los párpados que ya descansaban demasiado en su función protectora de los ojos, dejándoles poca apertura a los que de por sí eran pequeños y achinados, aunque de vez en cuando aparecía en ellos un punto brillante que decía de intensidades pasadas, como luego observaría.

Jiménez Madrid nos enunció que el invitado nos hablaría de la presencia femenina en el mundo cultural. El hecho de comenzar su disertación con Safo, la poetisa de Lesbos, propició que me alegrara atenderlo, porque Safo era un nombre que podía recordar de mis abandonados estudios y que ahora me llegaba como «la iniciadora del amor en la literatura» con su exaltación de «la belleza por encima de todo y su sentirse orgullosa del don de las Musas». Mentalmente, entrecomillaba las frases del conferenciante como aquellas que deseaba recordar cuando de nuevo habitara en mi casa de la playa, sentado en el porche frente al mar fecundado por la noche. Atendía así de este modo, sin olvido de mi Blanca, cómo Safo poetizaba el «ansia de la mujer que esperaba la llegada del amante» o cómo, fusionándose con el mito, «le prestaba su voz a Afrodita en el planto por la muerte de Adonis». Me encantaba escuchar cómo con Safo «el amor-pasión tenía el fin en sí mismo» o «cómo Eros sacudía al amante al igual que el viento la encina». Le oía, escuchaba al conferenciante caminar por los fragmentos poéticos de Safo explicando la dificultad de distinguir entre la intimidad de la poetisa y un mundo real compartido con sus hermanos y discípulos que podía «transformarse por la capacidad de la belleza, ahondándola en el ser».

Lamenté que el tiempo dedicado a Safo terminara porque fue un tiempo que mi imaginación estuvo habitando con el rescoldo de Blanca mientras intentaba personalizarme con las palabras dictadas por el conferenciante. Digo que lamentaba, aunque el nombre siguiente al que acudió también me sonaba y era como seguir agrandando un tiempo que fue mío. Nos hablaba de Aspasia de Mileto, la famosa griega que asombró por su belleza e inteligencia en el círculo de Atenas que vivían artistas y filósofos como Sócrates y que tanto atrajo a Pericles. Después, como si el conferenciante buscara desprenderme del pasado trayéndome la novedad de lo desconocido, nos ofreció el nombre de la *comtessa* de Dia, la *trobairitz* cuya vida transcurrió cruzándose los siglos XII y XIII. Apasionada en el amor, pedía tener una noche a su *cavallier* desnudo entre los brazos, *«en luoc del marit»* que le aburría los días. De alguna manera a la *trobairitz* le llegaban para su verso ecos de Ovidio y su petición de amor entrañaba una cierta rebeldía, manifestación femenina bautizada por la cortesía. Es probable que mi desconocimiento de la poesía provenzal y de su lengua me alejaran algo del discurso del escritor invitado. O tal vez fuera que con tanto y tan vario predicar de amor buscara nuevamente entre los asistentes el rostro de Blanca que tanto apetecía. El caso es que con la intrincada *comtessa* de Dia tejí una ligera pausa en mi atención. La cual regresó en acudiendo el conferenciante al argumento de la virginidad defendida en tiempos renacentistas por algunas damas que defendían la castidad como virtud laica, ajena al matiz religioso, como mostraba el *Cortesano* de Castiglione. Especialmente la mujer culta, y no fueron pocas, escogieron la virginidad en cuanto manifiesto de elección individual y rasgo de libertad que, con el saber cultural, venía a oponerse al carácter invasor del hombre.

Aprecié que este argumento de la virginidad interesó vivamente a la audiencia, en la que varios se miraron entre sí con festiva complicidad y muchos mudaron la respiración en murmullo. Confieso que yo acentué mi deseo de encontrarme con Blanca, que permanecía virgen cuando abandoné el pueblo para dirigirme a Madrid.

Cuando salimos de la conferencia había anochecido y yo permanecí a la puerta del aula cultural observando los rostros. El pueblo tenía encendidas todas sus luces, entre ellas las ráfagas que nacían del castillo, y tuve la impresión de que estaba en otro mundo, en un espacio de aquella oscuridad que me rodeaba en la casa de la playa. No tenía ganas de abandonar los aledaños en los que había penetrado buscando a Blanca y tal vez me había encontrado a mí mismo no en el que era sino en aquel que hubiera querido ser y la presión familiar desvió. Desde que Ramón Jiménez Madrid inició la presentación del conferenciante yo animé a la imaginación para soñarme en aquel escritor que nos hablaba de Safo y su transformación de la realidad por la belleza. Comencé a dolerme de lo que no fui y había perdido para instalarme en el fracaso, tan a bajo precio adquirido.

Observé que, al menos, era una noche de luna llena con la que haría en bicicleta el camino a casa. Sabía que tardaría el sueño en llamarme y que quizás me sorprendiera compartiendo la soledad en el desvalido porche que ya nadie tendría voluntad de reparar.

IV

Antes de que lograra dormirme sobre el jergón, mis palabras no servían ya a Safo, Aspasia o a la *trobairitz comtessa* de Dia sino que se juntaban para acusarme entre risas de cobarde y fracasado. Me desperté con la resaca de una noche de derrotas y me asomé a la playa para que el mar me sacudiera. Me vino entonces a la memoria que poco antes de abandonar el pueblo aún pervivía el sistema de «llevarse a la novia» practicado por las impacientes parejas. En un momento de inspiración el muchacho acordaba con su zagala el fugarse y se marchaban a pasar uno o varios días a cualquier lugar fuera del ámbito familiar. Después regresaban, se casaban y vivían el matrimonio felizmente. Cuando yo abandoné el pueblo para estudiar en Madrid, la romántica aventura de «llevarse a la novia» era ya algo que las facilidades modernas casi habían relegado al espacio de las reliquias. Alguna vez, quizás fuera de tiempo, pensé yo «llevarme a Blanca» como tantos se llevaron a sus novias, pero jamás me atreví a proponérselo ni siquiera en broma.

Me zambullí en el agua y probé gustoso el salado sabor a yodo que desprendía, que en aquella mañana era abundante. Después, en la playa, permití que el sol me arropara y extendí la mirada hasta alcanzar la altura de las montañas. Buscaba a mi vecino de la colina, al hombre que me era próximo y con el que quise explicarme haciéndole sujeto de una leyenda propagada por el viejo Francisco.

—Porque con frecuencia —le diría— necesitamos un otro con el que existirnos.

En la tarde anterior, el mismo conferenciante se detuvo ligeramente en cómo Safo invitaba a su fiesta a Afrodita, la trenzadora de engaños, y recibía de la diosa la promesa de lograr la gloria en la tierra por poseer el don de las musas.

—A veces —añadía— un vecino puede ofrecernos la realidad de lo que soñamos; el tiempo que no tuvimos; la palabra que no fue escritura ni sonido y teníamos dentro, oculta, necesitada de existencia.

Me di cuenta de que estaba dialogando conmigo mismo en voz alta y lo achaqué a la respiración de la soledad, que se desborda con frecuencia pretendiendo ser oída. Ello me condujo a insistir en el registro de las montañas dando al fin con Lázaro en lo más alto de la colina. Con su traje y su sombrero negros de siempre.

En cuanto me divisó el perro negro y de largas orejas, compañero de Lázaro, abandonó su sombra e inició una galopante carrera. Estuvimos un buen rato celebrándonos y prometiéndonos fidelidad. Luego me dirigí a Lázaro:

—Ayer —lo saludé— estuve todo el día en el pueblo. Al atardecer asistí a una conferencia que te hubiera interesado.

—¿Por qué? —pareció dudar.

—Era sobre tu materia. El conferenciante comenzó hablándonos de la poetisa Safo y después de Aspasia, la célebre amada de Pericles. El título no lo recuerdo bien, pero creo que entendí bastante lo que decía y pude compenetrarme con el discurso.

Soplaba un fuerte viento en las colinas que interrumpía o apagaba el sonido de las palabras. Decidimos bajar hacia el lecho de la rambla hasta que encontramos un lugar en el que unas rocas nos protegían. Lo malo es que si allí nos resguardábamos del viento, no podríamos ver el mar. A nuestra derecha, la rambla se interiorizaba y permitía que en sus laderas, muy espaciadamente, se levantaran modestos edificios. El viento parecía querer prohibirnos la voz castigándonos al silencio. Pensé de pronto que lo importante en aquel momento sería pronunciar, casi gritar palabras. Resembrar, por ejemplo, palabras como auspicio, cuentero, madrina o escurrir y que su sonido nos forzara a componer frases como «la madrina no se mostró debidamente vestida». No importaba quién formara la oración, no importaba nada; el caso era nacerla, existirla. Quizás Adán, el primer hombre, comenzara de este modo a darle nacimiento a su primera frase y luego a la siguiente y, tomado el gusto, fue ilando oraciones hasta construir capítulos y después unirlos hasta producir lo que se llamó un libro.

Naturalmente, no me atreví a comunicarle esta idea a Lázaro, cuyo semblante lo notaba regido por alguna preocupación. Mirando el paisaje que se reunía hacia la rambla era lógico que le preguntara:

—¿Tú vives por aquí?

Él ya sabía que yo vivía en la casa de la playa, la cual le había mostrado desde lo alto de la colina para testimoniarle que éramos vecinos.

—Hasta octubre —me explicó— vivo de alquiler en un cortijo que está volviendo ese recodo de la rambla. Estoy de pensión y me tratan muy bien.

—¿Y tiene electricidad el cortijo?

—Claro que tiene —casi exclamó.

—Lo decía por leer, porque tú leerás y escribirás mucho, ¿no?

—Lo único que nos falta es agua corriente. Pero hay un pozo del que se extrae agua, aunque algo salada. Para beber, tenemos los cántaros que se llenan en un manantial cercano de la sierra y transporta un borrico trotón.

Percibí que Lázaro se quedaba hundido en un profundo silencio del que quería salir confesándome algo y alejado de aquel diálogo tonto sobre la luz y el agua. Creo que el viento se aplacó ligeramente para que Lázaro dijera:

—Ni siquiera logro olvidarme, con el recorrido de las colinas, de aquellos lunes en los que mis hermanas, especialmente Angustias, me animaban a visitar las casas de prostitución. Yo caminaba por las calles mirando las luces rojas colocadas a las puertas señalándolas como casas de lenocinio. Buscaba protegerme en las sombras, temiendo siempre que me viera un compañero o un alumno. Luego al regresar a casa me encontraba a Angustias esperándome. Me cogía del brazo, me acariciaba la cabeza y me conducía a la habitación, en la que me invitaba a arrodillarme y rezar con ella el «Yo pecador» («*Confiteor Deo omnipotenti...*»). Aunque mi hermana desconocía el latín rezábamos en esa lengua porque Angustias la creía más piadosa y atendible en los cielos. No lograba entender aquella actitud de Angustias invitándome al pecado y después al arrepentimiento, por mucho que su intención fuera alejarme de Amelia. Me parecía algo morboso y sucio todo aquello y, sin embargo, lo aceptaba por cobardía. De vez en cuando, mientras rezaba, pensaba que si el cielo se descolgara sobre nosotros con rayos y relámpagos interrumpiría la escena tan absurda que componíamos.

—¿Y jamás te negaste a ese tétrico juego? —le pregunté.

—No sabía, no pude nunca. Fui superándolo porque comencé a hastiarme de mis visitas a las prostitutas, en cuanto tales, y les pagaba sencillamente por hablar, porque me contaran qué les había movido a escoger su profesión. Pero entonces me parecían más absurdos mis rezos con Angustias, rezar por mi cobardía de salir nocturnamente y fingir con el fin de que mis hermanas no creyeran que había regresado con Amelia o lo intentaba.

Comprendía a mi vecino de la colina, comprendía su pasear por ella el pasado queriendo superarlo. Estaba todo muy lejano de mi primigenio intento de mitificarlo haciéndolo sujeto de una leyenda. Ahora lo veía allí sentado, abrazado al silencio como si quisiera defenderse de la herida del tiempo y me sentía más cercano a él con la realidad. No me sorprendió que sonriera y quisiera cambiar de argumento, aunque estaba seguro de que más adelante regresaríamos a la presión de sus hermanas.

—Hace años —comenzó a decirme— las habitaciones del cortijo que ahora ocupo estuvieron alquiladas mucho tiempo a un hombre misterioso que también recorría las colinas diariamente.

—¿Y no sabes quién era?

—No, parece ser que nunca se supo con seguridad. En el cortijo me dijeron que, por una visita que hicieron los carabineros, se pensó que se trataba de un contrabandista que vigilaba los desembarcos del contrabando. Pero la hija del cortijero niega esa versión y aduce que se trataba de un buscador de vetas metalíferas. Se apoya la mujer en que el hombre tenía en su habitación los instrumentos propios de los buscadores y en que esta tierra es minera desde antiguo.

—¿Y tú qué deduces? —quise saber.

—No lo sé. Fuera quien fuera, no era muy comunicativo y la continua presencia en las colinas hizo que la gente fantaseara. Era un hombre desconocido y no fue difícil aplicarle esa leyenda que le escuchaste a Francisco.

—La leyenda habla de una sima con sonido de mar.

—Bueno, abajo sí existe una cueva que desde la orilla del mar se adentra en la montaña. Tal vez fuera donde los contrabandistas escondían sus fardos o donde ellos mismos se ocultaban, porque es difícil tropezarse con la boca de la cueva.

Me encontraba de nuevo ante la dudosa realidad respecto a la leyenda que le oí a Francisco y que fustigó mi imaginación aceptándola como una metáfora o bien desplazándola hacia mi vecino de la colina, cuya biografía justificaba sobradamente su traje enlutado y su voluntad de irse descargando del pasado con el cotidiano recorrer las gibas enlazadas de las montañas. Pero también recordaba cómo el viejo Francisco, sentado en la glorieta, me había asegurado que la vida era una innovación permanente con el acicate de sentirse creador de la propia existencia frente al pesimismo de abandonarse refugiándose en el pasado. Me cruzó por la mente que tal vez por ello yo buscara en el día anterior a Blanca por el pueblo y ahora debería animar a que mi vecino buscara a Amelia.

—Sería recuperar lo que Angustias quiso borrar —expresé.

Lázaro se sorprendió un tanto de mi afirmación.

—¿Qué debería recuperar? —me preguntó.

—A Amelia —afirmé con seguridad—. Sería extraordinario —me animé— que yo pudiera encontrar a

Blanca y tú a Amelia, que ambos pudiéramos reiniciar la creación de nuestra existencia.

Tuve la sensación de que el viento estaba aplacando sus emisiones y de que el silencio iba extendiéndose frente a nosotros tal como si fuera una limpia superficie en la que podríamos depositar las palabras para que comenzaran a crecer y adquirir forma. Sembrar amor y que creciera.

—No puede olvidarse el pasado; está ya para siempre en nosotros dejándonos su huella perenne —explotó Lázaro.

—Sí se puede —le contradije—: podemos echarle imaginación a lo que pasó y conducirlo a otro trayecto.

—¿Y los días? ¿Quién nos devuelve los días que marcharon?

—Nuestra imaginación; si los habitamos con la imaginación, pueden regresar durante horas.

Me fijé en las manos de Lázaro. Estaban yertas, como si un frío extraño las hubiera atacado y ya no tuvieran movimiento para sembrar palabras en la pulida superficie del silencio.

—Tenemos que darle calor al pasado, ser capaces de hacerlo.

Lázaro sonrió incrédulamente. Quizás me recordara pidiéndole noticias de la sima misteriosa que existía en la leyenda contada por Francisco; de mi empeño en hallarla.

—Allá en el pueblo el viejo Francisco me dijo que la única tristeza que tiene por ser viejo es que cuando muera y lo lleven a hombros al cementerio ya no le quedará ningún amigo que le acompañe contándole cosas de la vida; de ese día al que despide. Le entristece pensar que lo consideren incapaz de recepcionar y no le hablen como a un ser vivo en su último recorrido.

—¿Eso te lo dijo Francisco? —me preguntó curioso.

—Sí, eso me dijo Francisco, por quien supe que tu nombre es Lázaro. Y creo que diariamente coge a personas del pasado con las que dialoga y proyecta la existencia. Francisco opina que una de las cosas más tristes de nuestro mundo es que ya no acudimos a fertilizar el pasado porque creemos que no tenemos tiempo para nada. Y, en verdad, cuando alguien proclama el pasado ya no es para dialogar con su compañía el camino de la vida sino para servirse pragmáticamente de lo que fue, cobrándole peaje.

Es probable que también yo estuviera mediatizado por la precipitación del tiempo que aprobaba mi egoísmo. Porque no deseaba seguir hablando de Francisco y menos de aquella sima en la que supuse a Lázaro buscando mensajes. Me apetecía imperiosamente hablar de Blanca, recordar en voz alta cómo era Blanca y aceptaba tal apetencia, con su urgencia, como algo que si no lo celebraba en aquel momento podría perderlo para siempre.

—Blanca —medio musité.

—¿Te estás acordando de Blanca? —preguntó Lázaro.

—Claro, necesito traerla a estas colinas, hablarle al igual que hago contigo.

—¿Y sabes de qué hablaréis?

—Partiremos de la última noche que tuvimos. Poco antes de despedirnos Blanca me preguntó si no me aburría con ella.

—¿Y te aburrías?

—No, jamás.

—¿Entonces...?

Intenté responder a una pregunta que me había hecho mil veces sin saber responderme, hasta que el tiempo la debilitó. Puede que Blanca, bajo la admonición familiar, pensara en lo incierto que se presentaba para nosotros el futuro, ese tiempo que no existe porque aún no es. La verdad es que ignoraba la respuesta y se me ocurrió decir:

—Puede que Blanca leyera o alguien le contara que las parejas se agotan y se pierden en el tedio cuando llevan tres años de convivencia. Es posible que ahora sea así y Blanca lo creyera. El caso es que llegó un día en el que, como ya te indiqué, Blanca me pidió en su casa que la besara varias veces y todo comenzó a ser distinto.

—Y ahora, de repente, quieres buscar a Blanca.

—Sí, quiero encontrarla y comenzar de nuevo en aquel día que se apuntó como final.

Repentinamente percibí la sacudida del egoísmo. Otra vez hacía a Blanca protagonista de nuestra conversación despreocupándome del sentimiento de mi vecino de las colinas, especialmente lacerado por su hermana.

—Cuando tu hermana murió te sentirías liberado —le enuncié.

—Sí, claro que sí. Pero no creas que es tan fácil desatarse. Entre otras cosas porque cuando Angustias murió quedaba mi otra hermana, que era un sórdido eco de Angustias. Mucho menos inteligente, pero igual de monótona en sus advertencias. Me repetía que tras la muerte de Angustias y mi madre estábamos más solos y teníamos que querernos y protegernos aún más.

—¿Y Amelia? ¿No volviste a saber de Amelia?

Mi pregunta, que buscaba interrumpir su discurso familiar, no pareció sorprenderle. Simplemente, se encerró algunos minutos en silencio como pretendiendo hallar un modo distinto de respirar la vida. Y al fin lo encontró:

—Amelia, mientras yo preparaba mis oposiciones a

cátedra, consiguió plaza de numeraria de instituto. De vez en cuando sabía algo de ella porque me llegaban a la universidad alumnos que cursaron en su instituto. La verdad es que después de morir mis hermanas estuve tentado muchas veces de buscarla, pero nunca me atreví; no imaginaba qué podría decirle para hacerme perdonar la cobardía que tuve. Sé que ella, puede que fiel a mi memoria, continúa soltera. Es una estúpida vanidad por mi parte, pero me gusta pensarlo. En realidad también yo le he sido fiel, prosigo siéndolo.

—¿Y no te apetecería encontrarla? —intenté animarle.

Lázaro se incorporó y me señaló una higuera solitaria que se erguía en la vecina ladera hendiendo sus raíces en la tierra rojiza que se defendía entre las rocas. Era una higuera picoteada por los pájaros que extendía grandes hojas verdes y brillantes en su haz para ofrecernos sombra e invitar a que algún himenóptero la fecundara. Posiblemente, manifestado en las arrugas de su piel, fuera un ejemplar antiquísimo de la prehistoria que había logrado salvarse de la devastación que es propia de la acción humana y contra la que se mantenía erecta para ofrecer una esperanza.

El perro, al percibir que nos movíamos, comenzó a agitar rápidamente su corto rabo y a saltar de alegría. Cuando alcanzamos la sombra del árbol se tumbó a nuestro lado. Era ya la hora en la que el sol verticalizaba sus rayos con el fin de mostrar su orgullo de astro conductor de lo existente.

—Creo —le propuse a Lázaro— que deberías escribirle una carta a Amelia. Decirle dónde te encuentras y que te gustaría hallarla. ¿Sabes la dirección a la que escribirle?

—Sí, claro que la sé.

—Pues le escribes. Incluso puedes contarle como anécdota que yo te creí protagonista de la historia misteriosa de una sima receptora del rumor del oleaje.

—Eso lo tomará a broma, no podrá admitirlo.

Miré a Lázaro queriendo advertirle que ninguna leyenda es una broma, que todas se formaron arañando la realidad, a la que en cierta medida quieren regresar para informarla. Cada leyenda, al igual que cada mito, es lo que una vez alguien creyó y quiso narrar para la credulidad de sus semejantes. Me entristeció que yo no hubiera sido capaz de interpretar la leyenda que me narró Francisco en la glorieta del pueblo y que, por tanto, no supiera transmitirla.

Miraba a Lázaro y medía cómo se había transformado en mí aquel hombre enjuto, anacrónicamente vestido de negro, que me sorprendía con su recorrer las gibas de las montañas. Ahora paseaba la colina queriendo que el viento de las alturas fuera barriéndole el tétrico ayer ejecutado por sus hermanas. Sabía que caminaba la colina sumido en un sentido de penitencia en el que intercalaba su latín eclesiástico: «*Confiteor Deo omnipotenti...*» «*Credo in unum Deum, Patrem omnipotentem...*»

Estoy seguro de que nos comunicábamos bajo la sombra generosa que nos ofrecía la vieja higuera. Nadie diría que hablábamos porque no existía nuestra voz, pero nos hablábamos y de vez en cuando intercalábamos en el silencio la sonoridad de alguna frase aparentemente inconexa. Podía atenderle:

—Estudiaba, no cesaba de estudiar e investigar, en un intento de aislarme de la presión familiar.

Y yo entendía perfectamente, lo podía conexionar con oraciones no pronunciadas que decían de la atosigante presión de Angustias. Porque eran increíbles los celos que tenía Angustias ante la posibilidad de que una mujer ocupara el tiempo de su hermano.

—Una vez en la que caí enfermo pensé que moriría de *morbus eruditorum*.

Quería decir de un ataque de enajenación mental porque se figuraba, debilitado por la fiebre, que todos los libros que había leído adquirirían forma humana femenina y disputaban entre ellos su derecho a poseerlo.

—Sí, eso es: y disputaban la supremacía en la plaza de mi cerebro.

Los libros, queriendo esclavizarlo, adquirían forma femenina, al igual que su madre y hermanas. Ni siquiera pretendían los libros esgrimir el orgullo de sus títulos para que se advirtiera que combatían en liza cruenta el *Catalepton*, el *De fuga saeculi* y la *Institutio Oratoria*. No importaba que trataran de retórica, historia o filología; lo único fundamental es que eran mujeres luchando por la posesión de un hombre enfermo.

—En casa, jamás se hablaba de mi padre.

Cuando Lázaro tendría unos cuatro años murió su padre y apenas si sabía de él otra cosa que su profesión de maestro de escuela que se ayudaba con clases particulares para mejorar la precariedad del hogar. La madre de Lázaro y sus hermanas debían de pensar que mentar al padre era darle un protagonismo que les restaba a ellas autoridad.

—Mis hermanas gozaron vistiéndome de negro.

Eso ya me lo había contado Lázaro. Cuando su madre murió, Angustias se apresuró en mandar uno de sus trajes al tinte y a vestirlo de luto riguroso. Ya casi se había desterrado el luto, al igual que ponerse un velo las mujeres para entrar en la iglesia, pero las hermanas de Lázaro poseían una memoria histórica extraordinaria y los tres hermanos se acogieron al negro con firme fidelidad al pasado. Incluso yo creo, aunque no lo añadí, que a Angustias le hubiera encantado jugar a ser viuda para llevar aquellos mantos largos y velos ocultadores que las viudas vestían.

—Pero ya —formulé en voz alta— esos trajes negros de funeral han decaído y tú deberías abandonar ese traje y vestirte normalmente.

—Lo haré, lo haré —me aseguró.

Entonces pensé que debíamos alejarnos de nuestro diálogo interior, caminado desde el cercano pasado de Lázaro, e hice ademán de abandonar la sombra de la higuera. Apenas me moví, el perro me contempló intentando averiguar el trayecto a seguir. Luego Lázaro se alzó también, participando de la incertidumbre del animal cuyo nombre desconocíamos.

—¿Podríamos ir a la cueva de la que me hablaste?

—Podríamos —respondió sonriente.

Caminábamos hacia el sur y yo sentía, cogido por la sorda quietud del ambiente, que mis pies se hundían en la piel de la historia y su contacto me confesaba que aquella vereda de cabras que caminábamos había sido pisada millones de años atrás por seres procedentes de las praderas y bosques africanos que cruzaron el estrecho de Gibraltar. Entonces los altiplanos cercanos estaban cubiertos de una vegetación de tundra ártica y merodeaban por aquí équidos y cérvidos. El lecho de la rambla que teníamos a la derecha fue un hermoso río, hoy perdido, al que se acercaban a beber herbívoros que se alimentaban de las plantas y hierbas crecidas en sus márgenes. Sabía que con la regresión de los glaciares, el ascenso del nivel del mar y el clima más cálido, el ser humano perfeccionó sus herramientas líticas, se hizo recolector y cazador y aprendió a decorar las paredes rocosas con la representación de aquello con lo que convivía. Aprendió a existir y a expresar su voluntad de permanecer.

—¿Cómo se llamaría aquel hombre, si es que tuvo nombre?

—¿Qué hombre? —se extrañó Lázaro.

—El hombre —respondí—, cualquier hombre que dejó aquí su pisada antes que nosotros hace miles o millones de años. ¿Cómo se llamaría?

—Me parece que has cogido demasiado sol —bromeó Lázaro.

—No, no; estoy pensando en que nadie podrá llamarnos Lázaro y Gabriel cuando pase por aquí apenas transcurran veinte o treinta años. Tampoco tendremos un nombre.

—¿Y eso te preocupa? —pareció burlarse.

—No, no me preocupa —mentí, y me guardé mi parte del diálogo.

En realidad temía que mi expresión por la llegada de la muerte, dejándonos sin huella de existir, fuera algo envuelto en tópicos y en temores ancestrales a los que Lázaro podría acudir, no sin ironía, con los infinitos *dicta* contenidos en su cultura clásica. Yo mismo, ahora, podía recordar de mi etapa de colegio algunos dichos como «*Nihil novum sub sole*», «nada nuevo bajo el sol», aunque no podría señalar quién o dónde está escrito. De modo que decidí evitarle a Lázaro su recabar *dicta* para mostrarme la pobre monotonía de mi discurso, y le insistí sobre el argumento de la cueva a la que nos dirigimos.

—¿Y no registraste a fondo la cueva?

—No —sonrió—, no poseo esa curiosidad investigadora.

—A lo mejor queda en ella algún testimonio de sus habitantes.

—Si fue, como se cree, una cueva aprovechada por contrabandistas no es probable que permanezca. Aunque la hija del cortijero...

Se detuvo, como si la prudencia lo atenazara, y tuve que insistirle.

—Pues sí —prosiguió—, la hija del cortijero, que andará por los maduros años, me contó que al terminar la guerra civil algunos de la región no huyeron a Francia, como la mayoría, y se echaron al monte, al recorrido de la sierra, de donde bajaban a los pueblos para abastecerse y combatir.

En casa, cuando era niño, oí hablar del maquis a un viejo amigo de mi padre; de personas refugiadas en los montes que se mantenían en rebeldía y tenían frecuentes enfrentamientos con la policía y los guardias civiles. A mi madre le horrorizaba que aún viviera la guerra civil, después de tantos odios y muertes, y me retiraba de la habitación donde se hablaba del maquis y de política, de continuar una guerra hasta la eternidad. No me agradaba lo más mínimo que la cueva a la que nos encaminábamos perteneciera a este pasado bélico de la guerra civil, a lo que deberíamos tener olvidado.

—¿Cómo descubriste la cueva? —le pregunté a Lázaro.

—Fue una casualidad. Cruzó ante mí, volando, una hoja de periódico y me entró la curiosidad de seguirla, de conocer su origen.

—¿Y atrapaste la hoja?

—Sí, no tenía ningún misterio, no reflejaba nada destacable. Pero se había detenido frente a la boca de la cueva enredada en una ramas secas. Entonces al retirar instintivamente el ramaje hallé que detrás aparecía la cueva.

—Y aumentó tu curiosidad.

—La verdad es que al principio me detuvo la aprensión de que se tratara del cobijo de algún animal peligroso. La madriguera de un lobo o uno de los zorros que merodeaban por los cortijos.

—¿Y luego?

—Despejé la entrada de la broza y las ramas que se cruzaban y lancé unas piedras en el interior sin obtener respuesta. No parecía habitarla nadie y estuve inspeccionándola ligeramente. Me dio la impresión de que era una cueva trabajada por el hombre que se adentraba en la montaña.

Esto último manifestado por Lázaro coincidía un poco con la leyenda que le escuché a Francisco, lo cual animó mis pasos para encontrar la cueva. Una vez ante ella observamos que el perro olisqueaba la broza estancada, levantaba luego la pata trasera para mear en señal de dominar el territorio y nos miraba después intentando adivinar por dónde echaríamos.

Penetré en la cueva un par de metros. Más allá no se veía absolutamente nada, aunque era indudable que se adentraba por el espacio rocoso. Olía a una desecada humedad y registré el techo por si de él colgaran dormidos murciélagos que esperaban la noche para perseguir insectos. Me molestaba la realidad y me abracé al silencio de la cueva buscando el sonido del mar, si era por allí donde acaso el mar lamentaba la pérdida del río que le acercaba agua en tiempos remotos. Pero no percibí ningún sonido, ni siquiera el rumor de unos pasos que invitaran a perseguir la invención de la vida.

V

Es posible que el sofocante calor me atenazara en la noche para hacerme sufrir una larga pesadilla. Todavía al despertarme, apenas nacida la madrugada, una tórrida quietud apagaba el movimiento de las olas en su lento acercarse a la playa. Instintivamente abandoné el jergón y me lancé al porche para buscar a Lázaro en la cresta de las colinas. Naturalmente, no lo encontré, era demasiado temprano para que las caminara, y me dispuse a prepararme el desayuno. No obstante, no encontrar con la mirada a Lázaro me aportó un módulo de racionalidad para combatir el vestigio de la pesadilla que acababa de padecer. Desatinadamente yo había corrido en sueños al encuentro de Lázaro en las colinas. Recordé que el ascenso me fatigó mucho más de lo habitual y tuve que sentarme en el plano de una roca a otear el posible camino de llegada de Lázaro. Me cansaba de mirar y mirar hacia la rambla y más allá, donde el paisaje escasamente se moteaba con algún cortijo, y no hallaba la menor señal de Lázaro. Incluso me parecía que la rambla había hundido su lecho para que brotara el agua subterránea y ya no pudiera llamarse rambla sino río que festejaba su caudal fusionándose con el mar. Caminaba un poco pretendiendo adivinar los pasos de Lázaro y éste carecía de huellas, de camino transitado. De pronto la pesadilla me atornillaba hasta certificarme que Lázaro no existía; que Lázaro era un producto torcido de mi fantasía y carecía de existencia la figura de aquel hombre enjuto, anacrónicamente vestido de luto, que recorría las gibas de las montañas. Y ni siquiera mi figura de ficción tenía voz para hablarme y capacidad de recepción para escucharme. Lázaro no vivió jamás.

Durante el desayuno prosiguió hiriéndome el recuerdo de aquel ensueño angustioso y tenaz que me había atormentado en la noche. Me lancé al agua y estuve nadando largo rato con la intención de borrar la negación propiciada por la pesadilla. Ya en la playa, con mis pies en el mar, elevé la mirada en busca de Lázaro. Ahora comprendía que era lógico que no lo encontrara en la colina y admitía que estuviera descansando en el cortijo. Lázaro sí existía y éramos amigos.

Pero ni siquiera el residuo angustioso de la pesadilla ni el encuentro con la cueva, ni la morbosa presión familiar sobre Lázaro pudieron desviarme de mi desear encontrarme con Blanca. Era aún muy temprano y el pueblo estaría desperezándose. Sólo en el mercado existiría movimiento con la instalación de las cajas de pescado y los puestos de frutas. Francisco, el viejo Francisco, aún descansaría en la cama reuniendo ánimos para ocupar un banco de la glorieta. Blanca, sin duda, que nunca fue madrugadora, seguiría durmiendo. No obstante, yo me vestí lo mejor que pude, recogí la bicicleta del patio y comencé a pedalear hacia el pueblo. No me preocupó lo extraño que podía resultar que no lograra recordar el nombre de mi ex mujer ni me importara lo que pudiera estar haciendo.

Me detuve en una esquina frente al mercado de abastos y, al igual que varios parroquianos, pedí un chocolate con churros. Apenas me miraron con objeto de registrar mi extranjería. Ellos continuaban hablando, a veces a gritos, sobre aquello en lo que la sociedad los había formado: el fútbol y los famosos diseñados mediáticamente para atraer con escándalos de sexo o de pelotazo económico. Se decía que el Real Madrid padecía una crisis de juego y se gritaba de un famoso empresario que construyó urbanizaciones ilegales con la ayuda subrepticia del político de turno. La corrupción estaba bien servida en un mundo que no entendíamos, que parecía fácil y nos escondían.

Dejé la bicicleta donde siempre y fui a ocupar el banco en el que esperaría la llegada de Francisco. Era una mañana espléndida con cuya amistad bien podría despedir la ponzoñosa pesadilla que me negaba la existencia real de Lázaro. En los árboles pregonaban el tiempo los gorriones y las palomas recorrían el suelo de la glorieta descubriendo comida que picotear. Todo esto, y las campanadas de la iglesia y las gentes que se alegraban de reencontrarse en la glorieta eran cosas que entendía perfectamente y que me admiraban apreciándolas como compañía.

Serían cerca de las diez cuando vi a Francisco enderezarse a nuestro banco. Traía el semblante risueño, un periódico en la mano, y la mirada adelantándome el saludo. Me levanté para esperarlo y Francisco lo apreció alzando el cayado.

—Creo —me anunció— que por el Paseo de Levante podrás tropezarte con Blanca. Va por allí a bañarse con unas amigas y luego a tomar unas cervezas. No te extrañe que sepa estas cosas.

—No me extraña.

—Lo sé por la nieta de una vecina que lo proclamaba en la calle. Le pregunté si se trataba de Blanca, la niña de don Máximo Ferrer, y me respondió afirmativamente sin sorprenderle mi pregunta. Porque a los viejos, a veces, se nos permite la imprudencia de ciertas preguntas. Más antes que ahora, donde hay demasiada prisa para poder responder.

Creo que Francisco iba apreciándome en la medida en que yo era buen receptor para su necesidad de crecer con el diálogo. En ocasiones dejaba que su afán de hablar se extendiera sin atenderle demasiado, especialmente cuando recuperaba cosas del pueblo contadas por sus antepasados, pero rápidamente procuraba recuperar su discurso y darle forma al diálogo. A veces, mientras él hablaba yo atendía a mi pensamiento y me transmitía apreciaciones como que el mundo era una realidad subjetiva en la que cabía la invención. Luego, recobrado el sonido de la voz, expresaba:

—Posiblemente por ello no se entiende el mundo.

Francisco se desprendía generosamente de la ilación de su discurso y se ofrecía a continuar con el mío:

—¿Por qué no entendemos el mundo?

Yo sonreía, aceptaba su generosidad, e intentaba razonar:

—No lo entendemos por la misma esencialidad de ser una realidad subjetiva, aunque lo retraten bajo una realidad física objetiva. La subjetividad facilita diversidad de opiniones, con frecuencia contradictorias, que origina confrontaciones y la perpetuidad de las guerras que padecemos. Desde su origen hemos ido construyendo una civilización cainita.

Luego me callaba. No me parecía que esta mañana y la glorieta fueran el momento y el lugar oportunos para proseguir con mi opinión de que el mundo era una realidad subjetiva de imposible avenimiento. Era la herencia que teníamos y que la ambición o la vanidad de muchos acrecentaba.

—Sí —intentaba recuperar el diálogo interrumpido—, procuraré acercarme al Paseo de Levante para encontrarme con Blanca. ¿Usted la ha visto últimamente?

—No, la última vez que la vi fue en el entierro de su padre. Porque ahora, ya lo sabrás, desde hace unos años, las mujeres van también en los entierros hasta el cementerio. Sí, en el entierro de don Máximo Ferrer fue la última vez que vi a Blanca. Me acerqué a darle el pésame, pero creo que ella no me reconoció.

—¿Usted trabajó en el molino o en la fábrica de don Máximo?

—No exactamente. Pero mi madre tenía una excelente frutería cerca de la Huerta del Consejero, antes de que comenzara a urbanizarse, y con frecuencia yo llevaba la fruta a la casa de don Máximo, que era hombre esquinado. Por cierto que esto sería por los años en los que mi padre me narró esa leyenda sobre la sima existente en las colinas.

—Y que es una sima inexistente —le especifiqué—. La otra mañana, buscando con Lázaro, lo que encontré fue una cueva abandonada y bastante grande, sin ninguna relación con la sima del cuento.

—Sí —rió—, esa cueva sí existe y la conocen muchos del pueblo porque en ella se refugiaron en años difíciles.

Yo no quería ahora recordar con Francisco los años

difíciles, que él sabría muy bien, sino preparar mi ánimo para el encuentro con Blanca.

Era lo que me importaba y por ello me aislaba en mis pensamientos respecto a lo que Francisco decía, fraccionando así el diálogo. No se trataba de una práctica que frecuentara, aunque en los últimos tiempos de mi matrimonio el monótono protestar de mi mujer me había inducido a cumplir con el refrán de a palabras necias, oídos sordos. Mi mujer hablaba y hablaba de todo, preferentemente de lo que ignoraba, y yo me entregaba más al cultivo del monólogo interior. No valía la pena contradecir su ignorancia. No obstante, ahora ante Francisco era muy distinto. Ciertamente que a veces me cansaban un poco sus relatos de la guerra civil, con la llegada al pueblo de un tabor de moros cuando terminó la contienda, pero me interesaba mucho la transmisión de noticias recogidas de sus antepasados, su ser la historia viva de un pasado cercano que tenía nombres familiares para mí. Era Blanca quien me hacía fracturar el diálogo. Cobijarme en el monólogo interior era el deseo de hallar a Blanca.

Francisco se esforzaba porque el diálogo vibrara:

—¿Te conté ya que nosotros éramos siete hermanos?

Yo lo miraba sin ninguna expectación y él retrocedía:

—Sí, me parece que ya te lo referí. Es que los viejos solemos repetir las cosas intentando que la memoria nos viva. Ya sabes que un hombre es su memoria.

No, no sabía eso. Mi memoria para en ella existirme nuevamente era Blanca, los años en los que Blanca y yo estuvimos caminando hacia un futuro que jamás llegó. Lo que ansiaba era encontrarme con Blanca como si fuera un encuentro que ya hubiésemos tenido. Algo que no tenía sensaciones de novedad sino de acto ya sucedido, arropado en la memoria. Quería percibir mi llegada a Blanca como una vivencia del presente. No como algo desprendido del pasado a lo que llegábamos ahora, sino como algo cuyo latido pertenecía a la acción cotidiana.

—Eso es imposible —afirmó Francisco como si hubiera estado leyendo mi pensamiento—. No se puede repetir lo que no ha sido.

—Lo sé —le respondí—. Pero podría haber sucedido que Blanca y yo estuviéramos caminando por un futuro inexistente sin tocarlo ni mancharlo con el tiempo. Y de pronto hoy nos encontráramos con la exacta sensación de que fue ayer cuando le dimos audiencia a este hoy. ¿Comprende? Simplemente, hace unas horas nos despedimos para encontrarnos hoy. Y aun ese hoy, que todavía no ha llegado, es un recuerdo de algo que sucedió. Al igual que a veces estás por primera vez ante un paisaje, o un monumento o una persona, y tienes la vaga sensación de que ese paisaje o esa persona ya los conocías.

Francisco me miró bondadosamente y aún no sé si encuadrándome en un desvarío incongruente u ofreciéndome la absolución que prodiga la amistad.

—En el fondo —quise explicarme— se trata de pedir que Blanca y yo nos encontremos como si entre el ayer y el hoy no hubiesen transcurrido más de veinte años.

—Eso es imposible —razonó—, porque ambos estuvisteis acompañados de personas que tuvieron que ser medidas por el tiempo: el padre de Blanca murió, otro día contrajo matrimonio, luego... Estuvo continuamente pesada por el tiempo, entregándose a su medida. E igual te sucedió a ti corriendo por Madrid y hoy refugiado en las ruinas de una casa playera prestada. ¿Me comprendes?

¡Claro que lo comprendía! Por ello, para escapar de

mi fracaso de vivir en la realidad que otros me trazaban estuve intentando en mi retiro playero no ya inventarme una vida sino inventársela también, llevándola al mito, al hombre enlutado que recorría las gibas de las montañas. Ni Lázaro ni yo podíamos evitar pertenecer a la realidad subjetiva que era el mundo, construido para el padecer y destruir del hombre, aunque de vez en cuando existiera un ser loco perseguidor de la belleza que componía un poema, dibujaba un rostro o un paisaje, construía un Partenón, esculpía la figura de Afrodita o realizaba un milagro para la esperanza.

—El Paseo de Levante —musité.

—Eso es, el Paseo de Levante —quiso animarme.

Es probable que la sensibilidad de la experiencia le procurara a Francisco la facultad de intuir el temor que sentía ante mi cercano encuentro con Blanca. Demasiada vida transcurrida, demasiado tiempo perdido. De pronto, como un cruel contraste proporcionado por la realidad, recordé que era el día en el que tenía que girarle a mi mujer la mensualidad asignada por el juez. Sí, recordaba que un día olvidé el nombre de mi ex mujer y ahora me lo devolvía la memoria. Su nombre era Claudia y me llegó el ramalazo de nuestros primeros meses de unión. Estábamos tan llenos de impetuosa juventud que pensábamos que cualquier problema se resolvía en la cama. ¿Cuánto tiempo? Con la primera factura llegó la acusación de Claudia sobre mi afición a quedarme en casa leyendo un libro. Con el paso de los días y sus lamentos tuve la seguridad de que Claudia hubiera sido una fervorosa incendiadora de libros en aquel tiempo en el que el rey de Francia perseguía en París a los libros y los libreros. Necesitábamos más dinero para salir y alternar, y fui haciéndome cada día más ejecutivo de la empresa, más adicto a pronunciar palabras en inglés en las conversaciones y transacciones comerciales. Fui ascendiendo en mi escalada de ejecutivo y llegaba a casa rendido, con la cabeza llena de números proyectables, y un vago recuerdo de aquellos ejercicios de cama con Claudia. Poco a poco... Pero ¿por qué ahora me llegaba ese morir de los días? Precisamente ahora que esperaba encontrar a Blanca, y recordaba cómo en un anochecer me decía que para ella lo más tentador que yo ofrecía eran mis manos, lo que ellas prometían cuando la acariciaba. Durante bastante tiempo estuve contemplando mis manos y las movía dibujando con los dedos el rostro de Blanca hasta imaginar que percibía el calor de su piel. Fue todo tan hermoso que maldecía la debilidad de la memoria incapaz de recuperar sin mengua lo que fuimos. Sí recordaba con precisión que mi tonto orgullo no soportó más que don Máximo Ferrer se opusiera a nuestras relaciones argumentando que yo no era nadie ni mi familia podría sostenerme. Es probable que cuando me enteré por Francisco de que el padre de Blanca había muerto no lo lamentara. Pertenecía a una antigua casta de hombres que existió en los pueblos ejerciendo el caciquismo contra lo que la naturaleza libraba.

Posiblemente don Máximo Ferrer se estuviera felicitando al verme ahora habitando de caridad una casa abandonada de la playa en la que era visitado por la soledad y entrevistado por el fracaso. Sin embargo era allí, frente al mar, donde había resucitado mi amor por Blanca sin que yo lo provocara.

Golpeé la cabeza contra el aire queriendo desterrar esos pensamientos. Ahora me había despedido del buen Francisco y estaba acomodándome en el Paseo de Levante en algún lugar desde el que divisar a Blanca y observar cómo mi mente fundía en su rostro el pasado que huyó con la actualidad que nos llegaba. Una vez, la tía María me calificó de calzonazos porque no fui capaz de responder a una afrenta. Tenía la duda de si continuaría respondiendo con la misma actitud ante el reto de reconocer el rostro de Blanca y oír aquella su cálida voz que jugaba con el aire al formar la palabra. Comenzó a preocuparme el modo en el que la saludaría. Todo el mundo, aunque apenas se conociera, tenía ahora la costumbre de besarse, y era norma despedirse en la calle, por carta o teléfono enviándose un beso fuerte. Pero me parecía que Blanca y yo, que nos habíamos besado distinta e íntimamente, no podíamos manifestarnos con la asepsia de esas salutaciones.

Sentía cómo un calor nuevo y distinto afloraba en mi rostro y dejaba en mis manos la huella de un sudor ajeno a la humedad. Estaba sintiéndome como un estúpido y comencé a imaginarme a Lázaro, allá en las colinas, comentándole a su perro lo inseguro y temeroso que me manifestaba. El perro se reiría, si pudiera, de lo complejo y débiles que éramos los humanos, propensos siempre a constituirnos en manada.

El Paseo de Levante, hacia su mitad, se inclinaba un poco atraído por la llamada del mar. Allí le nacía una calle larga que perdía su asfalto al encontrarse con la arena y el azote de las olas impulsadas por el viento. Era una calle concurrida, levantada por la oportunidad, que en su final ofrecía la tentación de unas terrazas aisladas de los vientos por mamparas transparentes. Las terrazas pertenecían a un restaurante rotulado, quizás por nostalgia, El Balneario. Me acomodé en un ángulo de la terraza desde el que podía ver cómo iba llenándose de un personal entregado al festival del verano.

La vi. Venía entre un grupo de jóvenes que se lanzaban alegremente las palabras entre ellos, las botaban contra las blancas losas y las recogían al instante como si jugaran con ellas una partida de baloncesto. Cuando alguno acertaba con un enceste significativo la algarabía cobraba su sonido de alegría. Me detuve a mirarla ahuyentando la distancia física. Estaba como siempre, como anidó en mi ayer. Tenía sus ojos bañados por la juventud del mar y reía, reía dibujando su realidad. Estaba seguro de que si acercaba mi lengua a su piel encontraría el sabor a mar, a su sal acogida. No quise admitir que era un calzonazos, tal como antaño me satirizó la tía María.

—Hola —saludé.

—¡Hola! —respondió venciendo la sorpresa.

Nos estábamos mirando, cubriendo la vista de palabras para formar con ellas un escudo que nos aislara de los demás. Observé que sus amigas comprendían nuestro encuentro y fueron apartándose ligeramente. Sabía que nos seguían rebuscando por el pasado y construyéndonos para después, en aquella misma tarde, poder levantar sus comentarios. No nos importaba, o eso creía.

Me acerqué más a Blanca con el fin de que percibiera mi calor.

—¿Estás de visita? —me preguntó.

—No, no, estoy en el pueblo desde hace tiempo. Bueno, al sur del pueblo, junto al desarrollo de las colinas. Carezco de vecinos, estoy solo.

No pareció extrañarle mi localización.

—Estoy divorciada —argumentó.

—Yo también —me uní.

—Sí, lo sé. Alguien me lo contó hace poco. Valeria está igualmente separada. ¿Te acuerdas de Valeria, de Valeria Casals?

—Sí, claro que me acuerdo.

Miré al grupo de sus compañeros en un intento de reconocer a Valeria. La verdad es que apenas si la recordaba y desde luego tenía olvidado su físico. Con algo de esfuerzo la identifiqué con una muchacha de Cartagena que a veces nos acompañaba en las excursiones. Era muy calladita, algo triste, y creo que se marchaba fuera cuando terminaba el verano. Valeria no era del pueblo aunque nos visitaba todos los veranos. Los amigos de Blanca nos miraban queriendo adivinar qué pensábamos hacer. Me decidí a preguntarle si quería y podía que comiéramos juntos allí mismo, en el comedor interior de El Balneario.

—Sí —me respondió—, claro que me apetece comer contigo.

Entonces se volvió hacia sus amigos y les indicó que se quedaba a comer conmigo. Mientras se movía y hablaba sentí que todos los años que estuve lejos de Blanca unían sus estructuras celulares para formar un nuevo tejido sobre mi piel.

—Allá en las colinas —me agradó proclamar— encontré un amigo. Se llama Lázaro, tiene un perro, y está muy solo.

—¿También vive en Madrid como tú?

—No, no; es catedrático de latín y...

—Ya —me cortó—. Y tu vida, ¿cómo fue tu vida, Gabriel?

Oí perfectamente cómo Blanca pronunciaba Gabriel, mi nombre. Hacía muchos años que tenía mi tiempo olvidado para esconderlo en la realidad de mi fracaso. Supongo que sería una actitud de cobardía. Ahora comprendía que mi hallazgo de Lázaro recorriendo las colinas e imaginando con él la aventura de una leyenda no era otra cosa que huir de mi fracasada actualidad en cuyo camino también cayó el nombre de mi mujer. Me parecía un milagro poder pasear por mi cerebro el nombre de Gabriel dicho por Blanca. Era el mismo sonido que una vez fue mío, y me llegaba, después de tantos años, como si se produjera una bendecida confirmación. Reconocía que mi nombre era Gabriel y no aquel nombre que recuperé de mi tío cuando tuve necesidad de que Francisco, Lázaro y yo nos llamáramos. Sentía que la voz de Blanca articulando el nombre de Gabriel me regresaba a un tiempo distinto que se detuvo y del que yo quería partir de nuevo. Como una cuña de aire, cuyo olor especial lo hiciera completamente distinto, recibí la salutación de mi nombre recreado por Blanca.

Me había realizado una pregunta sobre cuál fue mi vida, pero yo tenía que agradecerle previamente que hubiera recordado mi nombre sobre el tiempo.

—Que me llamaras Gabriel —dije— me ha gustado especialmente.

Blanca sonrió e intenté explicarle:

—Hace unos días, hablando en la glorieta con uno del pueblo, tuve necesidad de que me llamara y, por extraño que parezca, no recordaba mi nombre. Tuve que inventarlo y recordé, supongo que por asociación, que un hermano difunto de mi madre se llamaba Gabriel y ése fue el nombre que me di.

Blanca disimuló su extrañeza, si la tenía.

—Pero tu nombre era ése y lo recordaste —expresó.

—Bueno, lo que intentaba decir —me excusé— es que me gustó extraordinariamente que me llamaras Gabriel. Con la misma voz de hace años, cuando estaba en el pueblo.

Me estaba expresando con evidente torpeza y lo advertí en los ojos interrogadores de Blanca. Acudí entonces a responder directamente a su primera pregunta, que era mucho más fácil en su lineal actualidad.

—Abandoné muy pronto los estudios —resumí— y me coloqué por fortuna en una agencia de turismo. Era un trabajo fácil para mí, al que me ayudaban mis estudios de idiomas y mi antigua curiosidad por las viejas ciudades. Decir de Atenas, Roma o Londres no era ninguna dificultad.

—¿Y te divertías con ello?

—Creo que sí. Me gustaba y fui creciendo profesionalmente. Llegué a ocupar cargos importantes. Pero todo eso es pasado, un pasado que aburre.

Esperó unos minutos, me miró fijamente y me preguntó:

—¿Y tu mujer? ¿Conociste así a tu mujer?

—Fue muchísimo después —respondí—. Un día...

Me detuve. En la vieja casa de la playa había estado acumulando con la soledad y el silencio horas y horas de olvido. Tenía desterrado de mí el pasado y cuando supe de Lázaro en las colinas me abracé aún más a la imaginación con el fin de alejar en lo posible a la realidad. La realidad no existía y su propio vasallaje al mundo subjetivándolo era una muestra de la necesidad de ir al olvido. Creía en ello, o quise creerlo, para ocultarme el fracaso de mi vida y casi lo había olvidado. Pero ahora, Blanca me preguntaba por hechos de ese pasado y tenía que remover la conciencia para responderle.

—Sí, un día estaba en la agencia de inspección, porque abríamos otra sucursal, y se presentó una joven que deseaba información sobre un viaje a Grecia. Era una joven muy atractiva que añadía para mí el encanto de querer visitar Grecia y no esos lugares más tópicos que escoge el turismo. La atendí ampliamente. Cuando me especificó que viajaría sola, sin ningún acompañante, me interesé por ella.

—Era lógico —aceptó Blanca.

—La invité a una cafetería con objeto de ampliarle mis conocimientos de Grecia y de este modo comenzó todo.

Tenía que hacer un desagradable esfuerzo para recobrar del pasado esos recuerdos y creo que Blanca lo percibió. Hasta casi había olvidado el nombre de mi ex mujer y me resultaba penoso recomponer aquellos días. Supongo que, como alivio, le confesé:

—A mi mujer no le gustaban los niños ni los perros. Intenté explicarle la nobleza que hay en un perro si no lo viciamos y ni siquiera me dejaba comenzar a exponerlo.

Entonces, con esta censura, recordé como alegre compensación que Blanca y yo íbamos a las playas alejadas con la compañía de un perro pastor alemán que se bañaba con nosotros nadando al lado. Tenía la sensación de que el cerebro me crujía al tener que atender el recuerdo de Blanca y el de mi ex mujer, cuyo nombre, Claudia, me llegó de repente a la memoria. Eran dos vehículos que sin conocerse venían a chocar violentamente en mi espacio mental. Intentaba averiguar qué existía de común en Blanca y Claudia para que un día me atrajeran tan repentina e intensamente. Me sorprendía a mí mismo que dos mujeres que ahora me parecían tan distintas hubieran sido tan precipitadamente ansiadas por mí.

—A los tres años —expresé, saliendo de mí— acabó mi matrimonio. Claudia decidió que nos convenía separarnos.

—¿Y tú? —preguntó Blanca—. ¿Lo decidiste tú también?

—No, yo no esperaba tal cosa. Ni tan siquiera lo había pensado. Pero algo de razón debía llevar porque al principio ni me extrañó ni lo lamenté. Luego, supongo que por orgullo y vanidad, sí me hirió.

—¿Y viniste a refugiarte en el pueblo?

—Un poco. Al igual que otros se refugian en la bebida. Creo que Claudia no se portó nada bien, en especial cuando se trató judicialmente la separación. Entonces comencé a despreciarla, a permitir que el odio asomara. Firmé lo que su abogado dispuso y mi única obsesión fue olvidarla, que ni siquiera pudiera recordar su nombre. Fue hace unos meses cuando decidí enterrarme en el pueblo acompañado de la soledad, del mar, del silencio...

Mientras hablaba percibía cómo la mirada de Blanca resbalaba cálidamente sobre mi rostro y deslizaba por él su amistad. Pensé que tal vez le quedara una pregunta por hacerme y que no la formulaba para no herirme.

—No creo —comencé a responderle— que existiera otro hombre. Estoy seguro de que en aquel tiempo no existía. Sencillamente, se aburrió de compartir la vida conmigo y su vitalidad no le permitía perder el tiempo.

—¿Y tú? —casi murmuró.

—En estos momentos pienso que Claudia tenía razón. Ella fue más rápida y lo expuso. Es posible que también yo pensara que nuestra vida fuera un aburrimiento y no tuviera el valor de manifestarlo. Nos gustaban cosas muy distintas y desconocíamos que pequeñas cosas como la afición a la lectura o a los animales pudiera unirnos salvando el aburrimiento.

Percibí claramente cómo el deslizarse de su mirada por mi rostro me ofrecía otra sensación. Pretendía que corriéramos con la palabra por otro camino.

—¿Qué te pareció el pueblo después de tantos años?

—Muy distinto. Casi lo único que reconocí fue la glorieta y un par de calles, aunque disfrazadas con edificios más altos. Todo ha cambiado.

—También nosotros hemos cambiado.

Sonreí porque no quería ser lisonjero, pero Blanca apenas si había cambiado. Algo recortados sus cabellos, nada más; y la misma voz y mirada de siempre, idéntica alegría en sus facciones. Luego extendí la mirada hacia su grupo de amigos en el que estaba Valeria. No reconocía a ninguno de ellos, tampoco a Valeria. Era seguro que yo sí había cambiado. Me había llenado de tantos rostros ajenos que deseaban viajar a cualquier país que mis ojos se hallaban vacíos para reconocer lo que tal vez fuera familiar.

—¿No sientes la soledad junto a las colinas? —me preguntó.

—Era lo que buscaba —dije—. Quería apartarme de todo e ir tejiendo el olvido para borrar mis últimos meses. Después, poco a poco comencé a querer recuperar mi pasado, especialmente mi tiempo en el pueblo. Quería encontrar el punto de aquel día en el que me marché, posarme en él de nuevo e intentar comenzar otra vez. Creo que lo estaba consiguiendo. Tenía la ayuda amistosa del mar, del silencio, de la mirada de las colinas... Luego me llegaron el anciano Francisco ofreciéndome en la glorieta las recuperaciones de la memoria, Lázaro recorriendo la montaña... Y tú, llegaste tú.

Creo que me sonrojé un poco al señalar su llegada,

al decir *tú*, pero era la verdad. De pronto, sin llamarla específicamente, un día me llegó el recuerdo de Blanca y el deseo de encontrarla, de buscar en ella mis días perdidos.

—¿Y no te da miedo vivir solo en una casa arruinada de la playa? El pueblo ya no es tan fiable como antes, cuando nos conocíamos casi todos.

—No —sonreí—, no me da miedo. Creo que nadie pasa cerca de la casa, que nadie puede verme. Prácticamente, no existimos ni la casa ni yo.

Estaba seguro de que Blanca acogía mi respuesta como algo impreciso que escondía un no sé qué necesitado de expresión. Al igual que antes nos sucedía y nos animaba a compenetrarnos más. La verdad es que muchas veces, en la soledad de la noche junto al mar, yo pensaba que la casa que habitaba no era una realidad sino una imagen o metáfora de ella que había construido para alejarla. La casa maltrecha, a punto de perecer, que me había prestado un pariente lejano no era tal sino una esfera o burbuja de cristal invisible, que nadie podía violar, y en la que iba deshilando la actualidad con el fin de edificarme capaz de salir del pasado. En ese intento mío de vivir con la imaginación lo que ya había sido me ayudó muchísimo la presencia de Lázaro recorriendo las gibas de las montañas con su traje enlutado. Podíamos dialogar, con la suma de Francisco, y eso era la auténtica y libre civilización desconocedora de vasallajes.

El sol del mediodía aplastaba contra el piso el ligero aire que osaba moverse. Cerré los ojos entregado al caer de la vida que iba sonándome muy a lo lejos. Quizás fueran demasiadas sensaciones para mi recoger el nombre de Claudia que yacía en el olvido y contrastarla con la luz de Blanca que renacía; compaginar la casa de la playa que habitaba con la construcción de una burbuja impenetrable para la realidad. Sí, eran demasiadas sensaciones las que acudían a mi cerebro con desordenada actitud y alterando mi descansado silencio recogido frente al mar. Percibía la respiración de Blanca a mi lado y la saludaba como si estuviera descubriendo una vida perdida que la memoria luchaba por recuperar. Estábamos tumbados en unas hamacas playeras defendidas del sol por un toldo de colores perdidos. Es posible, ya no sé, que nos llegara un sonido musical que invitaba a la evasión. Creo que Blanca también tenía sus ojos cerrados y los brazos extendidos a lo largo del cuerpo. No la miraba, sólo quería sentirla y darle mi imaginación. En tal disposición extendí el brazo izquierdo y mi mano encontró la suya. Recogía algo que era mío y cuyo tacto me regalaba el tiempo fugado. Ella acarició mi mano hasta abrir los dedos entrecruzándolos luego con los suyos. Habíamos caminado así muchas veces dándoles descanso a las palabras innecesarias. Incliné la cabeza hacia su lado para mirarla. Quería cerciorarme que hasta allí, ni un milímetro más, habría llegado la imaginación. Ahora ya brincaba plenamente la realidad. Era Blanca, la misma piel de Blanca que yo recorrí muchas veces.

En mi regreso, mientras pedaleaba por el viejo camino fuera de servicio, sentí ganas de cantar, cosa que jamás hacía. Miré en torno mío bajo una luna plena que iluminaba intensamente y vencí el temor de que alguien pudiera escucharme, con lo que comencé a cantar con fuerza y torpeza. Imagino que hasta los mosquitos huirían de mi voz, pero no me importó, estaba contento, reciclado.

Creo que la imaginación vistió de gloriosa ruina

griega mi desvencijado porche. En verdad podía oír el mismo mar Mediterráneo que encadenó mitos y conquistas, y el mar me auxiliaba despertando increíblemente la memoria. Podía recordar al epicúreo Lucrecio lamentando conmigo la imposible penetración mutua de dos cuerpos enamorados, según recogía el Marsilio Ficino del comentario platónico. El poeta Aldana debió sentirlo en la excitante lucha de unión amorosa cuando compuso aquel soneto en el que Filis le preguntaba a Damón cuál era la causa de que estando juntos en amor trabados no pudieran ser el mismo cuerpo. Recordaba esas protestas enamoradas conducido por el encuentro de Blanca y mi deseo de estar en ella sin posible distancia. No podía ni intentaba suponer cómo acudían los nombres de Ficino o del poeta Aldana a mi memoria. Estaba experimentando el contacto con tantas cosas maravillosas que llevaban el nombre de Blanca que no podía importarme por qué inesperadamente me acercaban el recuerdo aquellos pasajes. Incluso me alcanzó de la misma página de Ficino la vieja narración que evocaba a Artemisa, mujer del rey Mausolo, que deseando recibir en sí al amado, cuando éste murió lo redujo a polvo y, disuelto en agua, lo bebió.

Sé que estuve dando vueltas y vueltas sobre el jergón sin poder dormirme hasta bien entrada la noche. La felicidad de reencontrarme con Blanca me conducía de un extremo a otro sin buscar pausa y sin que me extrañase algo por peregrino que fuera. Tengo la impresión de que embargado ya por el sueño me golpeó la sentencia bíblica de Job, «Somos de ayer», y que, sin debilitar mi sabor de Blanca, pensé en mi amigo Lázaro con su correr enlutado las gibas de las montañas.

VI

Estaba deseando contarle a Lázaro mi encuentro con Blanca y la recuperación con ella de un tiempo fracturado. Sí, éramos de ayer, pero podíamos revertir con la imaginación ese ayer, y hacernos creadores de nuestra propia existencia, tal como le oí decir a Francisco. Y quería predicárselo a Lázaro para que creyera e imaginara un reencuentro con Amelia, la compañera a la que alejaron con saña sus hermanas.

Mientras ascendía a las colinas iba pensando que sería bueno que Lázaro le dirigiera una carta a Amelia expresándole sus deseos. Dada la profesión de Lázaro me pareció oportuno que le recordase las epístolas de Ovidio recogidas en sus *Heroidas* y que tanto siguieron los estudiantes medievales. Una de esas cartas, la que supuestamente escribió Safo, había sido recordada en aquella conferencia que escuché días atrás en el pueblo y de la que me sentí cómplice por inevitable pedantería. Quizás porque además las *Heroidas* me retrotraían a mi último curso en el colegio. Me gustó recordar que en aquel año descubrimos unos cuantos a Ovidio como algo más que un nombre que ocupaba unas líneas en el texto de Literatura que seguíamos. Nos parecía que con Ovidio conoceríamos una parte importante de la vida que nos mantenían oculta. Por ello, por la natural apetencia de saltarnos lo prohibido, estuvimos buscando la vida y la obra de Ovidio por las bibliotecas. Incluso nos atrevimos a preguntarle al cura por el poeta latino, ya que el cura decía en latín, en la lengua de Ovidio. Así una tarde que bien recuerdo uno de nosotros, Andrés Casiego, le preguntó al profesor con ingenua malicia si la obra del poeta era importante para los estudios. Nuestra sorpresa, y quizás derrota, fue cuando el profesor nos respondió afirmativamente con toda rotundidad que Ovidio fue seguido tanto por los escolares del medievo como por los mejores poetas de Europa, y fue citándonos pasajes y nombres que nosotros jamás habíamos oído y que en estos momentos, acabo de probarlo, mi ignorancia no podría repetir. Fue una espléndida lección que recibió nuestra retadora actitud. Ahora, mientras ascendía alejándome del murmullo del mar, recordé aquello porque mi interés era repasar las cartas conjuntadas en las *Heroidas* e incitar con alguna de ellas a que Lázaro le escribiera una epístola a Amelia. Si muchos enamorados se animaron con las *epistulae* de Ovidio lo podría hacer perfectamente Lázaro con su amada, y más siendo ambos latinos. Ni por un momento pensé que mi propuesta a Lázaro pudiera caer en aquella presunción que ya había mostrado preguntándole a nuestro profesor de bachillerato.

El viento silbando en las colinas, adelgazando las rocas, despejó mi mente de la pueril tentación de instar a Lázaro a escribirle a Amelia siguiendo el curso de las *Heroidas*. Posiblemente mi idea surgiera como una escondida añoranza de la juventud, cuando creíamos descubrir a Ovidio superando lo prohibido. Sonreí perdonándome con algo de rubor. Lázaro aún no había llegado y me dediqué a otear el dibujo que perfilaba el mar recortando la costa. Miré después el abrupto deslizarse de la colina hasta acercarse a la rambla y pensé en la de siglos que habría tardado la naturaleza en transfigurar y asentar aquel paisaje por el que dormía una rambla seca que un día fue río que brincaba hacia el mar llevándole guijarros que aún eran testimonio de un largo caminar. Me daba cuenta de que la realidad había modificado mis recuerdos o de que tal vez los paisajes inventados o soñados contenían errores geográficos. Porque aquel desfiladero que ahora contemplaba, en el que una rambla moría de vejez, era un paisaje distinto, muy distinto, al que yo veía cuando recordaba mi juventud desde Madrid.

Quise entonces, desplazándome un poco, retornar con la mirada al mar y localizar la casa que habitaba. Desde la altura, me pareció que la casa manifestaba aún más su estado de ruina. Producía tristeza contemplar los muros derruidos que debieron proteger un corral y el cercano patio, en cuya cocina de leña se guisarían las migas o se freiría el pescado. Y la higuera, la artrítica higuera que asomaba por la desconchada tapia en busca del viento que la fecundó una tarde de primavera. El porche no se veía, lo ocultaban las ruinas y me alegró porque era allí, en las noches, cuando fui cultivando el olvido hasta desear el renacimiento de Blanca.

Estoy seguro de que la mirada en la casa que me habían prestado me trajo nuevamente la presencia mental de Lázaro. Me parecía que fue hace años y no ayer cuando descubrí sobre las colinas la figura enjuta, adelgazada por los vientos, de Lázaro. Y, sin embargo, sentía a Lázaro muy cerca, desprendido de mi necesidad de compañía y parte sustancial de mi diálogo. Continuaba hiriéndome la actitud con él de sus hermanas, especialmente Angustias, y lo sentía sumido en un mar de contradicciones, ya que no de todo podían aislarlo los estudios y la docencia. Me indignaba aún aquel incitarlo a la fornicación que perseguía Angustias para luego obligarlo a rezar renunciando a los pecados habidos en una casa de prostitución. ¿Cómo podían existir cerebros tan retorcidos como el de Angustias? Ahora, mientras aguardaba que Lázaro llegara me roía el pensamiento la imagen de un Lázaro sumiso, dispuesto a protagonizar el pecado y la oración, y me acongojaba aceptar que tal actitud lo hubiera llevado a la cínica indiferencia de un impotente. No, no podía ser, Lázaro no era un enfermo que hubiese paralizado su voluntad por cobardía, por una estúpida esclavitud.

Me levanté para recoger más abiertamente el viento que iba azotando las colinas. Miré en busca de Lázaro hacia la ladera que se vencía a la rambla. No quería pensar en su pasado, en la monstruosidad impulsada por Angustias, y quería oír su voz, sentirlo despojado de cuanto le hubiera inoculado la perversión dominadora de su hermana. Me era difícil admitir que no fuese capaz de rebelarse contra la amasada dictadura de la protección ejercida por Angustias.

Primero vi al perro, que corría inventándose la vida con toda su alegría. Como una ráfaga alentadora comprendí que personas como mi ex mujer fueran incapaces de querer a un perro. Estaba acariciándolo, agradeciéndole el movimiento de la alegría que su cuerpo emitía, cuando escuché la voz de Lázaro, levanté la mirada y lo vi frente a mí sonriendo. Lo aprecié distinto, ya que había abandonado su luto por una camisa blanca, deportiva, y se tocaba con un sombrero de paja de los que llevan los jornaleros del campo. Estaba raro, disfrazado de dominguero hombre del pueblo. Me reí.

—¿Te parezco tan raro? —me preguntó.

—Un poco. El sombrero te cae algo grande.

—Es de la siega —me explicó—. Estaba colgado en el zaguán del cortijo y me lo prestaron.

Nos fuimos a la busca de la vieja higuera que nos había protegido del sol otro día.

—Ayer —le comuniqué— encontré a Blanca. La hallé como siempre, sin que pasaran los años. Estuvimos en la playa y después en su casa.

—Ya —pareció entender.

Pero creo que no entendía que mi comunicación era por él y no por declarar una satisfacción personal, que ciertamente sentía. Entonces decidí ser más directo.

—Anoche —manifesté— pensé que le deberías escribir a Amelia, conectar con ella y no perderla.

—Puede que ya la perdiera —dijo quedamente.

—Eso sería la victoria de Angustias, de tus hermanas, y no debes consentirlo.

—Sí, sé que mis hermanas se equivocaron. Pero a su modo me querían, deseaban protegerme y estuvieron cuidándome siempre, pendientes de mí.

No era la respuesta que yo esperaba. La huella de Angustias en Lázaro, especialmente Angustias, era más honda de lo que yo pensaba. Realmente no sabía cómo abordarle sin producirle heridas. No podía evitar imaginar a Angustias llegada de la vieja mitología con su cuerpo encorvado en forma de ave de rapiña, con zarpas que se afilaba constantemente y vestida totalmente de negro. Era una auténtica arpía que al igual que las canónicas gozaba también de hermanas. Incluso me temía que no hubiera muerto y que en algún extremo de las colinas se hallara vigilándonos celosa de que una mujer nos distrajera.

—¿De qué murió Angustias? —le interrogué de pronto.

—De algo del estómago. Había adelgazado muchísimo y casi no comía.

—¿Y tu otra hermana?

—La siguió de inmediato. Creo que la echaba de menos y murió. No recuerdo lo que escribiría el médico. ¡Qué más da ya!

—Eso es, ¡qué más da! —me atreví a exclamar—. El hecho es que murieron casi juntas y tú alcanzaste la libertad y hoy has perdido el luto.

Lo dije aprisa, temiendo arrepentirme y cercándome la duda ortográfica de si arpía se escribiría con *h* o sin ella. Así que se lo pregunté:

—Y tú, ¿cómo escribes arpía? Con o sin *h*.

—Supongo que ya es lo mismo. Pero yo prefiero, por clásico, harpía con *h*, al igual que harmonía. Entiendo que la palabra es así más bella, más fiel a su lugar de nacimiento, aunque las prisas actuales considerarán la *h* una carga inútil.

Sonreí al imaginarme que la harpía de Angustias estaría rabiosa al comprobar que no la respetaba mucho, reduciéndola a una consulta ortográfica. No creía en el poder terrenal de los muertos, y menos si se trataba de harpías decaídas que ya no tenían un hermano que vejar.

—¿Qué recuerdas más de Amelia? —le interrogué por sorpresa.

Se detuvo un poco antes de responder y luego:

—Posiblemente, su voz. Una voz calmada, amable. Sí, es lo que más recuerdo.

—¿Y no te gustaría acariciar y que te acariciara de nuevo esa voz?

Si hubiéramos tenido a la vista el mar, Lázaro hubiera extendido por su azul la mirada con el fin de esconderla. Estaba seguro. Pero nos encontrábamos al otro lado de la colina, por el que se descendía a beber las humedades de la rambla, y entonces buscó unas nubes con las que perder su respuesta. Deduje que aún sentía temor de contradecir a su hermana.

—Ya es muy tarde —musitó.

Era una voz triste, amancebada con la derrota. Lo miraba encerrado en su mutismo. Tenía poco más de cuarenta años, la edad en la que más se arriesga el hombre con el amor, y lo veía arañado por el tiempo, con las pestañas gastadas en la lectura cotidiana de códices y las manos, que debieron ser bellas, comenzando a perder la tersura.

—Se me ha escapado el tiempo —insistió—. Perdí la ocasión cuando la suerte llamó a las puertas y las cerré ya no sé si por vanidad, ignorancia o comodidad. Pude escalar y me acomodé a la derrota por no saber o querer luchar. Ya es tarde —acabó repitiendo.

Intenté recordar un caso apropiado para su estado de pesimismo. Era algo de algún autor que leí hace mucho tiempo. Pero no lograba extraerlo de la caja de la memoria. Me sucedía algunas veces desde que me instalé en la casa de la playa. Me acaeció con el nombre de Claudia, mi ex mujer, aunque en esto existió mucho empeño de mi voluntad. Ahora quería recordar un caso adecuado para el estado de Lázaro y no lograba cazarlo. Hice esfuerzos por agilizar la memoria. O despertarla. Recitaba para ejercitarla, los triunviratos romanos: César, Pompeyo, Craso el primero. Marco Antonio, Augusto, Lépido, el segundo triunvirato. Los recordaba, creo que perfectamente, de la escuela. También recitaba los ríos de España, aunque la geografía no me gustaba mucho: Miño, Duero, Tajo... Forzaba la memoria y me era imposible traer a nuestra conversación el caso que buscaba.

—Nada —concluí—, que no logro acordarme.

—¿De qué no te acuerdas? —se interesó Lázaro.

—No tiene importancia. Es algo que leí hace unos años.

—Bueno, también yo tengo lapsus.

Nos distrajo un grupo de gaviotas que cruzó sobre nosotros buscando los peces que escapaban de los barcos al faenar. El perro las miró con envidia de no poder seguirlas y luego nos miró congratulándose de que, al igual que él, tampoco nosotros supiéramos volar.

—Te decía —procuré reconducir— que deberías buscar a Amelia.

—Y yo te respondía que tal vez fuera tarde.

Antes de que yo protestara me atajó:

—El otro día, en la televisión que tienen los cortijeros, estuve viendo un programa en el que se reunían jóvenes de ambos sexos. Se divertían y charlaban mucho entre ellos. No los entendía. Salvo cuando se acompañaban de modismos anglófilos o decían coño, flipar, papelina, viaje y así. No comprendía de qué hablaban y parecía algo lleno de vida. En algunos casos aprecié que las palabras habían cambiado de significado. Pensé que era un mundo distinto, un tiempo o actualidad al que no he sabido incorporarme.

—Eso ocurrió siempre. Les pasó a nuestros padres respecto a nosotros.

—Pero nosotros no teníamos los poderes de comunicación de ahora, la facilidad y proyección de comunicar mensajes y contagiarse que los jóvenes tienen. Es otro mundo, otra educación, otro hablar y sentir.

—Posiblemente. Pero Amelia es de tu círculo. Amelia —quise tentarle— tiene asumido que Ovidio se lamentara desde su destierro de su ausencia de Roma.

—Amelia tiene una excelente traducción de las *Epistulae ex Ponto* —relacionó.

Naturalmente, ignoraba que Amelia hubiera traducido esa u otra obra de Ovidio. Sin embargo me alegró que Lázaro alcanzara con mi propuesta algún recuerdo de Amelia. Le estábamos dando así una cierta residencia en las colinas.

—¿Cómo se te ocurrió venir aquí? —le pregunté.

—Fue casualidad. Hacía poco que habían muerto mis hermanas, tenía concedido un año sabático por la universidad, y viajaba con unos amigos por estas tierras. Me gustó la mezcla de colinas, desierto y mar que advertí y decidí pasar aquí una temporada. Quizás sea un adelantado del turismo rural en estos parajes.

Sonrió y me pareció que extendió su mirada por las colinas queriendo agradecerles el ser confidentes de su intimidad. Y añadió:

—Sí, las colinas, especialmente las colinas me atrajeron. En la primavera anterior había estado en Roma, la ciudad de las siete colinas: Aventino, Viminal, Esquilino... En una de esas colinas, el Capitolino, es probable que se iniciara Roma. Me gustaba ver Roma desde alguna colina y creía poder sentir el deslizarse por el Tíber de las quillas de los barcos o el griterío de los estibadores junto al puente Milvio o los pasos de Mecenas o Propercio abandonando sus villas. Era una locura, pero la Roma de los libros que yo había recreado dándole color y sonido fue la Roma que trasladé a estas colinas desmochadas por los siglos. Por ello, pretendiendo visionar lo inexistente, uno y otro día las caminaba pintándoles la historia. Caminaba sin querer que la realidad me despertara.

—¿Y Amelia? —enlacé.

—Amelia también aparecía burlando a mis hermanas, quienes corrían tras ella gritándole hetaira. Era una pesadilla porque yo estaba impedido para ayudarle. No recuerdo si estaba atado, aprisionado. Era una pesadilla que me obligaba a caminar acelerando el paso.

—¿Y no te encontrabas con Amelia al final?

—No, nunca. Mis hermanas, siempre más Angustias, le echaban encima velos y velos negros que la ocultaban. Y yo la perdía definitivamente y quedaba en brazos de una prostituta de la calle San Marcos.

—¿Todo eso lo soñabas?

—No. Todo eso y mucho más lo representaba mi imaginación al tiempo que recorría las colinas como un sonámbulo. Tenía los ojos abiertos y era lo que la imaginación ordenaba en el pensamiento. Quería huir y, sin embargo, me atraía caminar las colinas, averiguarme en ellas.

—Cuando te veía desde la playa —le advertí— yo imaginaba que caminabas buscando esa sima de la que habla la leyenda.

—Me buscaba a mí mismo —insistió—. Unas veces caminaba desprendiéndome del pasado y de pronto, cuando creía hallar la paz, me llegaba de nuevo ese pasado y me encontraba de rodillas rezando al dictado de Angustias: «*Confiteor Deo omnipotenti...*» Entonces aceleraba queriendo sacudirme los pasos... Como te dije, me atraían o me repelían las colinas. Con frecuencia, mientras me mantenía en la cama, deseaba que llegara el amanecer para poder levantarme y venir a estas cimas. A veces me preguntaba si sería verdad que me gustaba padecer. Especialmente cuando oía la voz de Angustias predicándome el sacrificio.

—¿Y no le comunicaste a nadie tu situación? —pregunté.

—No, a nadie. Me daba una vergüenza horrible. Y supongo que si ahora te digo estas cosas es porque mis hermanas murieron.

—Y te vas liberando. Creo que todo ese contradictorio caminar que acabas de comunicarme pertenece al proceso de tu liberación. Casi seguro que cuando reencuentres a Amelia te liberarás plenamente.

Ascendimos a lo más elevado de la colina para gozar de la libertad de la luz dejándonos contemplar el mar. Era admirable la capacidad generosa de la luz permitiendo que a través de ella nos comunicáramos, que supiéramos del color del mar y del brillo de unos ojos cuando comenzaba el amor. Era admirable y la admiración nos mantenía en silencio mientras oteábamos el horizonte o simplemente medíamos el movimiento de nuestros dedos obedeciendo a la mente. Pensé que era el momento de llevarle a Lázaro el recuerdo de Amelia.

—Si no comprendí mal —me atreví a proponerle—, en las *Heroidas* de Ovidio se perseguía el acercamiento al ser amado.

Creo que sonrió benévolamente agradeciendo mi profana intención, ya que no mi saber, y añadí:

—Escríbele a Amelia, dile que todo puede ser nuevo para vosotros.

—No es tan fácil.

—Ya, ya sé que no es fácil, pero nada importante lo es. Me parece recordar...

—Eran personajes, no personas, salvo Safo —me precisó—, quienes escribían esas cartas de Ovidio.

—Pues hazte personaje. Encierra a la persona en el cortijo, en cualquier lugar, y transfórmate en personaje. El caso es que puedas sentir la libertad y escribirle a Amelia que la amas.

Nos manteníamos callados. No sabía qué palabras podría formar para Lázaro sin incurrir en desacato cultural. Ya había sido bastante pueril mi preguntarle por la sima que presentaba la leyenda y mi torpeza en vincularlo con ella. ¿Cómo habría podido imaginarlo recorriendo las gibas de la montaña en busca de aquella sima profunda en la que actuaba un persistente rumor de oleaje? Ahora recordaba toda la leyenda que me contara Francisco en la glorieta del pueblo y comprendía cómo había creído sus palabras llevado por mi vacío de vida. Con el cultivo del silencio tenía tan alejado el saludo de la realidad que necesitaba creer en la leyenda. Pero ahora, me decía, era distinto, muy distinto, ya que Blanca había llegado y mi mujer... ¿Cómo se llamaba mi mujer?; ¿qué importaba su nombre?

Entendía que no era prudente que continuara manejando mi ignorancia con el ejemplo de aquellas cartas de Ovidio en las *Heroidas*, las cuales sólo conocía de oídas y gracias a un viejo profesor del pueblo que ya había muerto. Sin embargo citaba las cartas como si las hubiera manejado en la soledad de la casa de la playa. En mi ansia de olvidar el fracaso de mi vida, gritado desde la ruptura matrimonial, había desarrollado, sentado frente al mar, los sueños de la ignorancia. Tenía la seguridad de que si la ignorancia es atrevida, aún lo son más los sueños que engendra. Me fue bien con ellos para fantasear en mi atención a los turistas que deseaban conocer mundo dedicándole cinco minutos al Partenón de Atenas, dos a los Uffici de Florencia y ninguno a la historia. Me admiraba y consternaba el desprecio por la historia que manifestaban quienes acudían a nuestros mostradores, con lo que comprendía la fácil presa que eran para las proclamas de los sofistas y charlatanes de corte. Con todo, en las noches dormidas en el porche, me llegaban ramalazos de la escasa inteligencia que había mostrado en mi juventud, cubriendo con osadías o astucias lo que mi cerebro era incapaz de asimilar y darle respuesta.

Pero ahora yo no estaba allí, en las colinas con Lázaro para acusarme y tal vez aceptar que mi fracaso fue justo, sino para animar a mi amigo haciéndole partícipe de mi encuentro con Blanca.

—Hace unos días —le confesé— me sentía tan derrotado que ni siquiera pensaba en la existencia de Blanca. Lo único que deseaba era escapar. Escapar de todo hundiéndome en el olvido.

—También yo pretendí a veces eso. Me alejaban un poco mis clases en la universidad, la convivencia con los alumnos, ante quienes disimulaba, pero siempre acababa por querer desaparecer de la vida.

—Y de pronto —seguí en mi idea— se me reveló la existencia de Blanca, la cual había caído en mi empeño de olvidar todo. Sentí la necesidad de buscarla, de entender que con ella encontraría un camino.

—Y, al fin, hallaste a Blanca.

—Me ayudó Francisco, el anciano del pueblo del que te hablé.

—A mí no podría ayudarme Francisco.

—Escríbele, mándale hoy mismo una carta a Amelia.

Se quedó unos minutos pensativo, como recabando de la intimidad algún recuerdo que lo incitara.

—«*Tu mihi cura*» —recitó—. «Tú eres mi cuidado», le escribe Safo a su amado. El temor a que con su vida acabe su cuidado, su razón de vida, que lamenta Garcilaso. ¿Me atrevería yo a escribirle a Amelia que era mi cuidado? ¿Podría decírselo después de mis ejercicios de fornicar y orar con los que complacía a mis hermanas?

—Creo que sí, que podrías escribírselo y explicarlo.

—¿Y luego?

—Luego Amelia volverá a reconocerte. Y se reirá de estos tus paseos por las colinas queriendo que el viento te azote la memoria para tenerla sólo en ella. Debes escribirle una larga carta contándole todo, incluso tu encuentro conmigo y el suponerte argumento de una leyenda.

—¿Ya no crees en la leyenda? —se burló.

—No creo en la leyenda que yo deformé, pero sé que alguna existe y por ello la cuentan los viejos del pueblo. Sería una hermosa ventura que existiera en las colinas una sima en cuyo espacio pudiera recuperarse el pasado con la realidad de ser un presente. No me niegues que fue un elogio suponerte buscador de esta sima.

—No, no lo niego. ¿Y el futuro?

—La leyenda no lo apunta —sonreí.

—Pues debiera apuntarlo porque es lo que nos espera. Puede que la realidad de lo que viene sea más misteriosa que el decir de la leyenda.

—Siempre es así —diagnostiqué—. Esta realidad que hoy compartimos en las colinas, y fue en un pasado el futuro, es o fue ayer mucho más misteriosa que cualquier leyenda.

Unas gaviotas planearon por la cima en la que estábamos y el perro comenzó a perseguirlas con inútil velocidad. Quizás su correr no fuera para atrapar vuelos imposibles sino para, cansado de oírnos, intentar alejarnos de nuestra monotonía.

No lograba interesar a Lázaro en el gozo de mi encuentro con Blanca y ofrecérselo como estímulo para buscar a Amelia. Decididamente no todos éramos iguales en el mundo y algo más firme que una educación común venía a individualizarnos. Sobre todo porque las personas creíamos ser distintas de lo que éramos y nos mentíamos cotidianamente para fabricarnos en un otro. Lo de menos era mentir a los demás y saber encender la guerra continua que celebrábamos. Lo más grave es ir construyéndonos en la mentira y llamarla verdad hasta creerla.

—Así —comencé a exponer—, cada persona se escinde en tres: la que es, la que cree ser y la que los demás creen que es. De ese modo no pasa de ser una utopía aceptar que todos los individuos somos iguales cuando ni siquiera cada individuo es una unidad en sí mismo.

Lázaro continuó caminando en silencio y nunca sabré si aceptaba mi expuesta desigualdad de los individuos o no me respondía por entenderla una obviedad innecesaria. El perro sí se detenía a veces al oírme y esperaba que alguna palabra mía lo incitara a saltar y correr. Me incliné, cogí una piedra y la lancé por la ladera para que el perro corriera.

¿Cómo podía yo interesar a Lázaro, sumido en la herencia enlutada de sus hermanas? Tenía la impresión de que gastado ya en pasear las colinas era alguien cuya cultura era impermeable a mi simpatía. No obstante, le repetí:

—Escribe a Amelia. Búscala.

Era exactamente lo que hubiera querido que él me

dijera respecto a Blanca cualquier día del pasado, cuando yo creía tener olvidado hasta el nombre de Blanca.

Desde el punto más alto de la colina me volví de nuevo para buscar con la mirada mi casa de la playa. Más que vencedora construcción una gran parte de ella no era ni siquiera lastimosa reliquia, espacio de soledad, yermo terreno. De todo cuanto fue apenas quedaban señales, desdichadas cenizas que el viento maltrataba en incultos matorrales de los que llegaban lagartos que me llamaban intruso. Todo desparecía y las voces que fueron alegres se tornaron en silencio mudo. Costaba trabajo imaginar que sus paredes rotas apretaron la vida entre ellas. Sí, Lázaro, estos que ves ahora, si miraras, son campos de soledad que fueron un tiempo recinto de alegría, y, no obstante su sequedad, me acogieron.

Me volví hacia Lázaro con el temor de que su silencio fuera despreciativa señal de haber percibido mi delirio de contemplar la maltrecha casa de la playa bajo el eco escrito de una canción a las ruinas de Itálica.

—Escribe a Amelia. Búscala —repetí.

Creo que esta vez sí quiso oírme.

Era indudable que las colinas sabían recibir el viento que procedía del mar y que los siglos depositados en su altura no extrañaban su olor a sal y yodo. Intenté descansar la vista en el espacio donde lamentaba su suerte la higuera del patio de la casa. Me pareció que alejándose de su actualidad la higuera levantaba sus ramas y soñaba que, al igual que la tenaz hiedra, crecía orgullosa entre los mármoles quebrantados de un hermoso edificio desplomado. Oí a Lázaro:

—Le escribiré, hoy mismo le escribiré a Amelia.

Y sonreí como si yo también me dispusiera a escribirle a Blanca.

VII

El pueblo seguía siéndolo y ni siquiera las avalanchas veraniegas de forasteros, que descubrían más libertades, lograban perturbar su plácida y acogedora vida que corría ofreciéndose por todos los rincones. El pueblo conocía y recitaba los nombres de los médicos principales, del señor notario mayor y hasta el del bizarro sargento de la guardia civil que años atrás descubrió un alijo de droga procedente de Marruecos. Francisco me lo confirmaba con la naturalidad que me decía confidencias de unos y otros. También me denunciaba que el pueblo, de suyo liberal y emprendedor, tenía un coto social de práctica endogámica que ocupaba algunos de los mejores edificios del centro histórico y que algo se prolongaba por unos espléndidos chalés de la costa. Compartían democráticamente aficiones con el resto del pueblo, como la pasión colombófila o las excursiones cinegéticas, pero indudablemente eran distintos, dados a unas veleidades aristocráticas, y a manifestarse detentadores de una tradición con muestras genealógicas que ofrecían en ovalados retratos familiares colgados en el salón. Aunque últimamente, me detallaba Francisco, con la entrada de la modernidad esta sociedad había visto algo resquebrajada su solidez, ya que uno de sus jóvenes miembros se había dado escandalosamente a la heroína y un otro había abusado de su cargo político para trazar un emporio urbanístico. Supongo que por prudencia, y porque realmente no era necesario, Francisco omitió señalar que don Máximo Ferrer y su señora doña Mencía, padres de Blanca, pertenecían a esta acomodada burguesía tan asegurada en su endogamia.

—Pero no son malas personas —diagnosticó Francisco desde su respiración republicana—. Mi primo Lucas, el que escapó a Francia cuando acabó la guerra, estuvo trabajando en la fábrica de don Miguel Lojoso, el que quisieron llevarse los de Alicante para darle el paseo, y me decía que don Miguel era un buen hombre. Su hijo es otra cosa.

Naturalmente, yo no conocía ni a uno ni a otro. Sí conocí y recordaba bien a don Máximo Ferrer. Especialmente lo recordaba en aquella mañana de agosto, con un fuerte calor sacudiéndonos, en la que me atajó después de que yo me despidiera hasta la tarde de Blanca. Mi memoria se niega a repetir la monserga que me dedicó a solas. Fue, como ya dije antes, aquel día en el que muy educadamente me pidió que rompiera con su hija porque ambos éramos muy jóvenes, no sabíamos lo que hacíamos, y yo no podría jamás darle a Blanca la vida que a ella, por familia, le correspondía. Fue esa mañana en la que no supe encontrar palabras para responderle y me callé a todo y aún no sé si por cobardía, por orgullo o porque admitiera que tenía razón.

Ahora, transcurrido el tiempo, me encontraba en la glorieta con Francisco. Tenía la sensación de que habían pasado muchos años desde nuestro primer y fortuito encuentro en el mismo lugar en el que nos encontrábamos. Ya no teníamos el mismo rostro, quizás porque las miradas se hubieran cargado de palabras que modificaban facciones. Incluso Lázaro me señaló ayer, corrigiéndome, que su nombre no era tal sino Aquilino. Resultaba así que el nombre de Lázaro fue inventado por Francisco al igual que a éste yo le di ese nombre desbancando el suyo de Alberto, que desconocía. De modo que en la interpretación de la realidad nos llamábamos Aquilino, Alberto y Gabriel, lo cual carecía de importancia salvo que tuviéramos algún encuentro con la policía o el erario, poco amigos de la imaginación.

Llevaba bastante tiempo esperando en el banco cuando apareció Francisco, quien, casi con seguridad, procedería del mercado.

—Allí —me explicó— veo por las mañanas algún amigo, con el que me tomo un carajillo y nos contamos actualidades, mejor si son del pueblo que de fuera, que el mundo es ya demasiado grande y no se entiende.

Inmediatamente me preguntó cómo había llegado aquella mañana tan temprano, cuando todos los bancos de la glorieta estaban desocupados. No respondí enseguida porque primero quería responderme a mí mismo. Aparentemente, era fácil: estaba allí puesto que necesitaba entretener con alguien la impaciencia por encontrarme de nuevo con Blanca, con la que había quedado en su casa alejados de las miradas ajenas que partían de la suposición de que una mujer joven y divorciada deseaba pronto cubrir su vacío. En gran medida, Blanca continuaba teniendo fuertes ataduras con aquella sociedad endogámica de la que su padre fue adalid y en la que yo siempre sería un intruso.

—Pero además —le expliqué a Francisco— al encontrar a Blanca me brotó la necesidad de conocer el pueblo, de saber el nombre y el movimiento de sus gentes. Quiero acercarme a su actualidad y salvar así los tantísimos años en los que estuve fuera y me convirtieron en extranjero.

La verdad es que esta apetencia la había sentido ya cuando llegué a la casa de la playa y busqué conquistar el olvido hasta hundir en él mi fracaso matrimonial.

—Y lo cierto —le ampliaba a Francisco— es que logré sumergirme en el olvido, hasta ni siquiera acordarme del nombre de mi mujer. Pero inconscientemente quería llenar el vacío que me procuraba el olvido con recuerdos de mi juventud. Nada concreto, ¿comprende? Supongo que por ello atendí la narración de su leyenda y la desplacé a la visión de Lázaro cabalgando las colinas. Era mi lógico deseo de llenar el vacío con la ficción e incorporarme a la vida.

—¿Le has contado eso a Blanca? —me preguntó Francisco.

—No. Algo le insinué, pero no así.

—¿Y qué quieres saber? Lo que tengo más próximo a mi vida ya no existe, se lo llevó el tiempo. Ten en cuenta que casi calzo ya los ochenta años. Cuando la guerra civil, yo tendría unos diez, y esa guerra parece tan lejana, o debiera estarlo, como las guerras carlistas que casi nadie recuerda.

Se calló, como si la memoria lo derrotara. Luego debió pensar que mis ojos lo animaban, y procedió colocando sus palabras de carrerilla:

—Las guerras son siempre un trauma y también un tiempo de descubrimientos de todo tipo: científicos y personales. Tú sí sabrás que nuestro pueblo cayó en zona roja e imagino que tus padres o abuelos te dirían que aquí no existieron ni crímenes o paseos, ni venganzas o gritos de odio. Era un pueblo perfectamente civilizado y continuó así cuando la guerra terminó, aunque hubo algunas persecuciones y encarcelamientos que después se superaron.

Quizás pensara que había realizado un preámbulo innecesario e intentó medir si quedaba atención en mis ojos para continuar su discurso. Debió apreciar que estaba interesado porque prosiguió más animado:

—Bueno, lo que yo quería decirte es que adquirimos algunas experiencias íntimas que la modernidad de ahora parece haber descubierto. En realidad, a imitación de lo que oíamos respecto a la actuación de nuestros mayores, apresurados por la guerra, muchos de nosotros mantuvimos relaciones con chicas de nuestra edad. Nos marchábamos con ellas a la playa por la noche, nos desnudábamos, nos acariciábamos sintiendo calor en el rostro y creo que luego nos apañábamos como podíamos. Ten en cuenta que entonces no teníamos una televisión que nos ilustrara ni las películas ni los anuncios de hoy en día. Pero funcionábamos.

Creo que en este punto Francisco dudó de la oportunidad de su discurso y me miró algo desconcertado y arrepentido. Era probable que sus palabras, sin faltar del todo a la verdad, estuvieran motivadas por un deseo de incorporarse a la actualidad con los recuerdos de su juventud modernizados. Algo así como si exclamara ante una novedad de hoy que eso ya existía en su tiempo. La verdad es que no sé si mi interpretación era justa o se debía a mi desplazar a ella aspectos de mi fracaso que no tenían defensa.

—Lo que más recuerdo —se escapó por otro lado—

es que en la guerra los chiquillos formábamos pandillas que jugábamos a las guerrillas. Nos íbamos al cabezo, donde había varios chiqueros derruidos que aún olían a cerdos, y en ellos nos fortificábamos o luchábamos por conquistarlos. Éramos dos bandos, escogidos sin ninguna ideología, que luego nos hermanábamos. Al igual que nos sorteábamos echando pie para jugar al fútbol con una pelota de trapo. El desconcierto vino para nosotros después, al comprobar que los mayores habían estado divididos en dos bandos enemigos que se odiaban entre sí, y que incluso algunos tenían que huir, nos dijeron que a Francia, tal como le sucedió a mi tío Rafael, al hermano de mi madre que en gloria esté.

—¿Ha muerto tu tío? —pregunté por inercia.

—¡Hombre! —exclamó Francisco—, si yo ando por los ochenta años, lo lógico es que mi tío muriera.

—Claro —asentí.

—Pero lo cierto es que no nos dijeron que feneciera. Creo que en el pueblo hay bastantes en el mismo caso. Huyeron por el mar y nunca más se supo de ellos. Aunque de alguno sí tuvimos noticias en el pueblo, porque cuando años atrás la gente se marchaba a Francia a la vendimia uno de aquí encontró a otro del pueblo, viviendo allí, con mujer nueva, francesa, y sin mucho interés por volver.

Temí por unos instantes que Francisco acabara contándome toda la guerra y posguerra civil española, años un tanto inciviles que afortunadamente los de mi generación teníamos olvidados o superados. Pero Francisco quebró la sucesión cronológica y me preguntó:

—¿Tú no oíste hablar de don Damián?

—No, no sé de él —respondí.

—Era un maestro de escuela especial que con otros dos profesores mantenía una academia que preparaba para el bachillerato y para la reválida o examen de estado.

—Algo llegué a oír de esa academia.

—Don Damián daba las materias de letras, incluso el latín, aunque no era cura. Ya hace mucho que murió y que se cerró la academia. Te lo digo porque don Damián fue quien nos contó un día esa leyenda de las colinas en la que existía una sima profunda donde se oía un rumor de oleaje que animaba a seguir un largo túnel crecido bajo el mar. ¿Recuerdas la leyenda?

—Sí, claro que la recuerdo. E incluso creí que a esa leyenda pertenecía el hombre enlutado que cotidianamente recorría las gibas de las montañas. Pero nada de eso existe. Lo comprobé muy bien.

—¿Estás seguro de que no existe?

—Bueno, el hombre que vestía de negro sí existe, se lo he dicho ya. Recuerde que usted, y yo lo admití, le llamó a ese hombre Lázaro cuando en verdad, como sabe, su nombre es Aquilino, es catedrático y ahora es mi amigo.

—Yo lo bauticé como Lázaro —quiso justificarse— porque cuando supe de él, tan extravagante y enlutado, lo entendí como un resucitado de la meditación que tenía las colinas por confidente.

—Y yo quise admitirlo como un alguien que buscaba la sima misteriosa de la leyenda. Admitirlo como sujeto de tal leyenda me ayudaba a estimular la ficción para huir de la realidad.

—¿Y buscaba realmente Lázaro la sima? —se interesó.

—No, para nada. Paseaba queriendo descargar su

inmediato pasado. Simplemente eso: explicarse y olvidar. Casi lo mismo que yo estaba realizando en la casa de la playa.

—¿Y no te aburrías de estar siempre solo?

—A veces —respondí—, aunque tenía unos libros para leer en las tardes. De cualquier modo, era lo que había escogido para descubrir otros caminos. Pero es cierto que en ocasiones me pesaba la soledad, el hablarme a mí mismo en la inexistencia, y que me apetecía la compañía, ensayar la palabra. Supongo que por ello me alegró que apareciera Lázaro en las colinas y tras unos días fui a su encuentro. Llamarle Lázaro, gracias a ti, fue para mí encontrar el nacimiento del diálogo. Y creo que también para Lázaro.

—Y acabaste encontrando a Blanca —pareció querer concluir.

—Eso es —confirmé—, pude hallar a Blanca.

Pero no fue, mentalmente, tan sencillo. Ni siquiera lo era ahora. Quería pensar, hablar de Blanca, y la impaciencia por verla me había llevado al pueblo, a la glorieta, muchas horas antes de nuestro acordado encuentro en su casa. Sin embargo, cuando plácidamente me desplazaba a Blanca y me animaba en la imaginación con sus caricias, afloraba de repente mi mujer, o quizás fuera otra, porque a veces no podía nombrarla al desconocer su nombre. Interfería en mi pensamiento queriendo adquirir presencia y lentamente desplazaba a Blanca y entonces era cuando iba reconociendo que la mujer innominada comenzaba a tener el perfil, los ademanes y la voz de mi mujer, de Claudia. Percibía con nitidez cómo Claudia se presentaba tras vencer alegremente la barrera del olvido con la que creí aislarla. Y hablaba, especialmente hablaba rápidamente obligándome a encerrarme en el sonido desagradable de su voz. Y lo extraño es que no acertaba a entender qué decían sus palabras. Me parecía que eran palabras despojadas de contenido, vacías, convertidas en sólo cáscara. Sí, eso eran, repetidas cáscaras llegadas de atrás que flotaban sin peso y así podían correr suspendidas en el aire, sorteando el tiempo y el espacio.

—¿Por qué vuelves? —creo que grité.

—¿Quién vuelve? —me preguntó serenamente Francisco—. Yo no veo que nadie venga hacia nosotros.

Miré a Francisco como si estuviera descubriendo su presencia por vez primera. Despacio, muy despacio, fui reconociéndolo, admitiéndolo, y con ello pude ganar la apariencia de la normalidad.

—Espero que no venga nunca —logré responder—. En un momento de inconsciencia he creído que venía mi ex mujer, Claudia. Deben de ser cosas del calor y del poco dormir.

—Sí —aceptó sonriente—, el calor juega a veces malas pasadas. Pero... ¿no me habías dicho que lograste borrar a Claudia de tu vida?

—Eso creía —respondí soñoliento.

Porque nuevamente sentía que me iba allá donde no estaban Francisco ni el espacio de la glorieta. Quizás a un espacio cercano a las colinas en el que la mirada se tendía sobre el mar y vagaba, holgazana y libre, por donde el capricho de los ocho vientos clásicos de Andrónico querían llevarla. Sí, quizás fuera ese espacio desatado de mi voluntad en el que, apenas componía la imagen de Blanca, me hería la llegada de Claudia importunándome celosa con sus requerimientos estúpidos. Yo no entendía de los cantantes gangosos sobre los que me preguntaba autoritaria y desconocía por completo la historia del marqués que había desperdigado su patrimonio en el empeño de domesticar a una *sex symbol* huraña. No me importaba nada de eso ni las otras cosas análogas que le preocupaban mientras oía al fondo el sonido de la televisión y tricotaba a ciegas prendas horrorosas.

—El caso —dije protestón— es incordiar.

—¿Te incordia de nuevo Claudia? —preguntó Francisco.

—Sí, siempre me incordia. Basta que a mí me guste una cosa para que ella escoja lo contrario. Da igual lo que sea. Lo que ignoro es cómo no me di cuenta hasta ahora del error que era vivir junto a ella. Terminaré odiándola si no logro la paz de olvidarla.

El zurear de las palomas a nuestro lado me hizo regresar a la compañía de Francisco, el cual me miraba pacientemente y aguardaba a que mi transducción concluyera en normalidad.

—Es raro —quise excusarme— esto que me pasa.

—En ocasiones a mí me sucede algo parecido. Estoy pensando en un motivo voluntariamente escogido y de pronto interviene decidida una cuestión distinta que interrumpe y se apodera del argumento que escogí. ¿Es lo que te sucede a ti?

—Sí, más o menos es eso.

—Pero en mí es más lógico —se defendió Francisco—. Ya no tengo mucho tiempo al que aferrarme y los seres y las cosas del pasado se precipitan en mi mente, interfiriéndose, con el fin de obtener sitio. No, no es nostalgia o algo así, sino deseos de vivir, de seguir presente. Es como si aquellos que se fueron pretendieran sostenerse aún en la vida ocupándome. Se me acercan en la imaginación y nos hablamos, nos decimos cosas que no tuvimos tiempo de formalizar en el pasado. ¿Estoy explicándome?

—Perfectamente —le aseguré.

—Con frecuencia me doy cuenta de que no quieren despedirse, especialmente las personas más cercanas como mi madre. Saben que viven y pueden hablar mientras yo me mantenga en la vida y pueda contarles cosas del pueblo. Cuando yo muera ya no tendrán donde estar. Soy el último que les queda. A veces siento que me llegan en tropel, empujándose por ocupar mi mente, y tengo que dialogar aprisa con ellos para calmarles.

—¿Le ha contado usted estas vivencias a alguien? —quise saber.

—No. La gente ahora siempre va corriendo, quema el tiempo sin recogerlo. Bueno —rectificó—, a don Emilio, el cura, que es de fiar, sí le conté un poco y me dijo que era normal lo que me sucedía; que estaba muy solo y por ello apelaba con frecuencia al recuerdo. Pero no es propiamente eso lo que me sucede.

—No. Tampoco yo creo que sea lo mismo.

Y no lo era. Pero dialogábamos sobre un acantilado en el que era difícil que las palabras sostuvieran su significado. Sonreí gozoso porque pensé en que mi ex mujer, Claudia, no habría entendido ni una sola palabra de lo que estuvimos hablando Francisco y yo. En realidad no entendería ni por qué yo habitaba en la derruida casa de la playa, conversaba en las colinas con Lázaro o discurría con Francisco sentados en un banco de la glorieta.

Durante unos minutos estuvimos callados, tal vez reponiéndonos para atacar otros ámbitos, otros campos de la palabra. Francisco se inclinó ligeramente y extrajo de una bolsa un puñado de panizo. En cuanto divisaron las palomas el anaranjado grano tomaron tierra zureando y aleteando a nuestro lado. Yo creí que de un momento a otro comenzarían a entonar el nombre de Francisco y a subirse sobre las letras de su nombre al igual que lo hacían sobre las maderas del banco.

—Me conocen —expresó satisfecho Francisco—. ¿Tú sabías que el guano que producen las palomas es un espléndido abono para las plantas?

—Sí, lo sabía. Mi abuela lo utilizaba en el jardín. Tal vez debería haberme callado practicando la humildad de que Francisco me ilustrara, pero me asaltó el recuerdo de mis abuelos, con su terraza preparada para albergar los palomos de pica o valencianos, así los llamábamos, que salían majestuosos a la búsqueda de hembras a las que conquistar y conducir al palomar.

Fueron quemándose las horas en mi impaciencia, Francisco se despidió apoyado en su bastón y yo abandoné la glorieta sin encontrar unos ojos que me reconocieran porque bastaban veinte años de ausencia para adquirir la titulación de extranjero. Fui a comer donde la vez anterior, en los aledaños del castillo, y observé a la gente que, más o menos, tendría mi edad. No parecían tener los problemas que me habían llevado a la casa de la playa o que acuciaron el ánimo de Lázaro en su pasear las colinas, pero, en cambio, ninguno parecía alimentar la esperanza de un reencuentro tal como yo esperaba. Fumaban, bebían, hablaban en voz alta apagando la suave música de ambiente, pero ninguno tenía las ganas o la necesidad de gritar que era hermosa la vida como yo la sentía.

Sobre las cuatro, cuando casi todo el pueblo cumplía con la siesta, me había dicho Blanca que llamara a su puerta. Estaba tan impaciente que tenía la impresión de ser prisionero de un tiempo inmóvil. Pregunté una vez la hora y comprobé que mi reloj no fallaba. Estaba estúpidamente nervioso, como si jamás hubiera estado en vísperas de besar a una mujer. Me dije que quizás fuera cierto, que jamás hubiera experimentado esas vísperas. O las tenía ya tan gastadas en el tiempo que no las recordaba. Menos mal que ahora todo el mundo se besaba en toda circunstancia, con lo que no sería extraño que me acercara al rostro de Blanca y la besara. Lo había hecho ya, cuando nos encontramos en la terraza de El Balneario. Pero ahora era, sería distinto. Estaríamos solos, creía, en su casa y en una hora propicia a efusiones más cálidas después de tantos años distanciados, sin tan siquiera tener una sola palabra que compartir. Menos mal que nadie me observaba, y nadie podía leer en mi interior, porque me estaba comportando como un perfecto estúpido, sin que me pudiera exculpar el largo tiempo de cenobita que había cumplido en la casa de la playa acarreando rocas de olvido.

Me decidí a salir, a ojear los barcos surtos en el puerto que oscilaban dormidos y comencé a caminar lentamente por el Paseo de Levante hacia la casa de Blanca frente al mar, aquella que su padre, don Máximo Ferrer, le había regalado brillantemente cuando cumplió la mayoría de edad.

Me detuve frente a la casa y pensé por unos momentos si necesitaría pedirle permiso al pasado para adquirir el derecho de llamar. Se trataba del inmueble que don Máximo le había regalado a su hija como un exponente más de lo que yo nunca podría ofrecerle. Lo leía así en el mármol de Macael y en el acristalamiento que presidían la fachada. Quizás fuera despecho o asimilación de la pobreza, pero no me impresionaba la ostentación del edificio, con su precioso enrejado de hierro, ahora limpio, que la cercanía del mar iría cubriendo de herrumbre para marcarle años.

Por fin llamé al timbre y la puerta se abrió obedeciendo el mandato enviado desde algún punto distante. Y vi a Blanca descendiendo hacia mí, sonriente, con la seguridad de poder cobrar una pieza que tuvo por perdida. Todo lo que en ella parecía seguridad era en mí incertidumbre que procuraba disimular. Se diría que era un hombre que se encontraba por primera vez ante la mujer que había deseado desde antes de existir. Y Blanca lo sabía, no querría abandonar ese saber que le permitía dominar.

Nos abrazamos. Al besarnos sentí que sus labios se apartaban de mi mejilla para descansar cerca de mi boca y permitir que apreciara su respiración.

—¿Te acuerdas? —me insinuó.

No podía responderle. ¿De qué debería acordarme? De pronto me acordaba de todo y todo giraba en ebullición convirtiéndose en nada que pudiera expresarse. ¿De qué, precisamente, tenía que acordarme? Creía que habíamos sido entonces demasiado jóvenes para formar y preparar los recuerdos que hoy convendría hacer presentes. No era aquel tiempo nuestro pasado el llamado a encajonar emociones, lacrándolas, para abrirlas hoy y vivir lo que fue. Sonreí sin hallar la palabra ni el preciso recuerdo que me pidió y que posiblemente estuviera perdido.

Me cogió de la mano y me condujo al piso de arriba. Era una estancia grande, con amplios ventanales abiertos al mar. Se olía a mar y nos llegaba la corriente de un aire mojado en la playa. Fuimos a ocupar dos tumbonas gemelas unidas. Blanca, acostada, miraba al techo como si esperase que se colgaran de él los recuerdos perdidos que pretendía recuperar. Yo la contemplaba y le ordenaba continencia a la imaginación. Oía su respirar cadencioso.

—¿No has vuelto a escribir versos como aquéllos? —me preguntó.

—No —respondí tumbándome junto a ella—. Ya no tenía amor al que dedicarle poesías.

Entonces Blanca cogió mi mano y la llevó a su mejilla acariciándose con ella. Luego sentí cómo sus dientes rozaban mis nudillos y su lengua punteaba mi piel humedeciéndola. Me sorprendía y busqué las palabras.

—Algo escribía —comencé—. En la agencia me dediqué a redactar unas páginas que añadían algo personal a los folletos turísticos sobre una ciudad. Por ejemplo, Roma, a la que conocía muy bien. Escogí Campo de' Fiori, una de sus célebres plazas. Allí, encapuchado y con un libro en la mano recordaba la estatua en bronce de Giordano Bruno. Es probable que el aspecto lúgubre de la estatua exprese la vida atormentada y perseguida de Bruno, quien acabó quemado vivo en la hoguera encendida en la Piazza Campo de' Fiori. Los turistas apenas se interesan por quién sería Bruno y yo intentaba decírselo brevemente. Pronto me di cuenta de que preferían que les indicara el Grappolo d'Oro para comer o cenar o les aconsejara el americanizado Drunken Ship para tomar copas. Así que mi voluntad de escritura cesó y seguimos ofreciendo los comunes folletos de turismo que no advierten que cualquier día Giordano Bruno abandonará su estatua y se liará a zurriagazos con los viandantes de la plaza. Aquélla fue una experiencia que, afortunadamente, no menoscabó mi crédito en la agencia en la que fui ascendiendo con ideas más pragmáticas y simples.

Blanca me había escuchado con atención y confesó sonriente:

—Tampoco yo sé quién es Giordano Bruno, pero me lo aprenderé si alguna vez regreso a Roma.

—Las estatuas —formulé— son muy significativas en la historia de las ciudades, y el tratamiento de indiferencia, familiaridad, admiración u odio que hacia ellas sienten los ciudadanos con su actualidad creo que manifiesta bastante la personalidad de la convivencia civil.

Apenas acabé esta última frase me asaltó la vergüenza por un comportamiento que rozaba la pedantería. La verdad es que todo cuanto yo conocía de Giordano Bruno lo había extraído de una enciclopedia y ni siquiera me sentí en la curiosidad de buscar una de sus obras y leerla. Tuve la tentación de sincerarme con Blanca, pero pensé que estaba comportándome estúpidamente y que podía ser lógico que a la inmensa mayoría de la humanidad no le interesara quién había sido aquel dominico heterodoxo y viajero del siglo XVI a quien encerraron en una estatua de bronce los librepensadores del siglo XIX para erigirlo en mártir de la libertad. ¿Qué podía significar ya Bruno para la andadura práctica de nuestro siglo? Sonreí como si me hubiera liberado de un peso y me incliné hasta llegar a la boca de Blanca. Sus labios tenían la libertad del mar. La sentía recogerlo y nadar en esa misma libertad.

Después, sembrado en mí su aliento enamorado, me enseñó la casa. Me pareció un hogar frío, con sus paredes demasiado uniformadas por la pintura, y estanterías que ocupaban muñecos, estatuillas de porcelana y bronce, retratos juveniles enmarcados y, por excepción, tres o cuatro libros aislados. Me acerqué a ellos y los tuve entre mis manos hojeándolos, leyendo los títulos y reconociendo a sus autores. Percibí claramente que los libros se manifestaban extraños, sin la compañía de unos dedos que pasaran sus páginas y unos ojos que las existieran. Creo que no supe disimular como debía y contrasté absurdamente la casa de Blanca con el espacio perdiéndose que habitaba frente al mar. Posiblemente me hubiera acomodado en exceso a la libertad de creer el mar como una propiedad de la mirada, la cual descansaba alzándose hasta rozar las colinas y caminarlas. Entre mi vista y el mar o las colinas ganándolas con la mirada no existía nada que interrumpiera el camino tendido por la luz. Me desconcertaban las paredes de la casa sin un desconchón, sin la huella de algo que hubiera estado colgado y desplazado a otro lugar, paredes tan lamidas que resbalaría por ellas el olor de la vida.

—¿Desde cuándo vives aquí? —le pregunté.

—Hace poco. Mi padre no llegó a ver terminada la casa. Sabes que murió, ¿no?

—Sí, lo sé. Me lo dijo el otro día un anciano del pueblo. Fue el que también me dijo que te casaste.

—En eso no tuve mucha suerte. Tuvimos que divorciarnos.

No me resultaba agradable proseguir con aquella conversación, carecía de interés remover ese pasado. Ni siquiera tenía curiosidad por saber si el marido de Blanca había llegado a vivir en la casa o se divorciaron antes. En pie ante el ventanal buscaba por el horizonte la señal de mi mar intocado, de las colinas holladas por el viento y abandonadas por la historia que un día creció con ellas. Pero sentía a mis espaldas el respirar de Blanca, su voluntad en acompasarlo con la débil agitación que intentaba regular mi cuerpo. Otra vez me vino a la memoria la sabida página de Marsilio Ficino en la que cita el decir de Lucrecio cuando exponía cómo el herido de amor tendía a quien le hiere, arde por unirse estrechamente con él y lanzarle en el cuerpo el humor que brota del suyo... hasta buscar que ambos cuerpos se fundieran en sólo uno.

—¿Estás cansado? —me preguntó Blanca.

—Hace un poco de calor —eludí responder.

Confieso que hubiera querido saber si a él, a su marido, le habría formulado Blanca idéntica pregunta en similar situación. Creo que sentí miedo de que la sombra de los celos me descubriera. Entonces cubrí mi temor desviándome al recuerdo de una hermana de Claudia que burdamente pretendía moverme a celos señalándome cómo algunos hombres miraban a su hermana con evidente deseo. Yo sonreía indiferente a las cómplices miradas que se cruzaban Claudia y su hermana porque no las creía y bien conocía que algunas mujeres, tan zafias como ellas, procuraban contarle experiencias amorosas pasadas al hombre con el que estaban para encenderlo en pasión. No obstante descartaba estos casos y negaba la posibilidad de que Blanca me hubiera hecho la pregunta bajo una intención comparatista con su marido. Aunque pregunté:

—¿Tan mal te fue con tu marido?

—Era un ludópata, un enfermo —me respondió con firmeza. Y añadió—: A mi padre lo engañó perfectamente y el pobre murió creyendo que me había conseguido un excelente matrimonio.

—En el pueblo...

—Sí —se adelantó—, en el pueblo sabíamos que jugaba en el casino al igual que otros sienten pasión por la caza o las regatas. Pero nadie de la familia ni los amigos podíamos imaginar que su adicción al juego llegara a los extremos que llegó. ¿Eso no te lo han dicho?

—Bueno, el anciano del que te hablé me dijo que perdió tales cantidades que implicó en sus deudas vuestro capital.

—Implicó todo —explicó—, hasta su vergüenza y dignidad; no quiero recordarlo. El caso es que la única solución para que no arramblara con todo fue el divorcio. Tras él retomé algo la paz y hasta un poco la alegría.

—Sí —quise acompañarla—, no parece que tú y yo tuviéramos excesiva suerte.

Ahora, sentado a su lado, con mi brazo sobre sus hombros acercándola, sí me parecía una Blanca distinta de aquella que reía con todo y con la que navegaba las mañanas montado en una piragua de lona que me dejaba mi tío Pepe y con la que nos alejábamos hasta poder besarnos y rozarnos por detrás del castillo creyendo que nadie nos veía.

—¿Te acuerdas?

—Me acuerdo de todo —afirmó—. Era un tiempo distinto, amigos distintos.

—Creo —juzgué— que tú querías demasiado a tu padre y que yo le tenía excesivo respeto.

—Sí, nos equivocamos. Ahora sería distinto.

¿En qué sería distinto? Percibí que realmente ya lo era y busqué la libertad de sus labios bañándose en un tiempo que no supimos gozar. Sintiéndola allí, abrazada por mí, compartiendo el aire que respirábamos, pretendía verla igual que en aquellas tardes de estío en las que buscábamos las calas desiertas de la costa en las que aún no asomaban su impertinencia las construcciones. Supuse que en aquellos momentos, palpando la forma real de los recuerdos, me estaba creando con la imaginación mi propia existencia, lo que en verdad era. Recordé que el viejo Francisco me había adoctrinado que vivir era sentirse en una innovación permanente frente al pesimismo de abandonarse que anulaba toda reviviscencia.

—¿Qué te parece el pueblo? —me preguntó de repente.

—Casi no lo reconocía. Tuve que situarme en la glorieta y desde allí orientarme, caminar con la imaginación las calles que anduve de joven y arriesgarme a recorrerlas. Fue una experiencia nueva.

—¿Y el encuentro con las personas?

—Apenas queda alguien de mi tiempo. Vago por las calles y no reconozco los rostros ni me reconocen. Es como si la gente portara unas máscaras que no descifro. Salvo tú, claro está. Tú estás igual que te guardaba en la memoria, con la misma expresión de saludar la vida.

—O tu memoria o tu vista te engañan —me corrigió.

La besé. Quise besarla al igual que lo hacía tiempo atrás, como otras veces lo hice con la imaginación creyendo borrar las distancias. Quizás, pensaba, había escondido su rostro tan profundamente en mi memoria que el tiempo no pudo encontrarlo ni herirlo. Ni yo mismo supe que tuve a Blanca tan escondida en mí que la formé intocable. Recorrí apresuradamente mis primeros días en la casa de la playa y pude cerciorarme de que ella estaba ausente, escondida de mí, conservándose intocada. Incluso en los primeros días de mi dialogar con Lázaro en las colinas, Blanca proseguía agazapada en mi memoria, sin que el tiempo y mi persecución del olvido la rozaran. De tal manera que extraerla del recuerdo para fundirla con la realidad del presente no supuso ningún desplazamiento acomodaticio de la imaginación.

—¿Te quedarás aquí mucho tiempo? —preguntó.

—No sé, no puedo saberlo hoy. En principio, a finales de mes termina mi permiso de vacaciones.

Habían transcurrido las horas sin que fueran contadas. Ahora me daba cuenta de que en ninguna parte de la casa había un reloj.

De vuelta a mi hogar de la playa, mientras pedaleaba, la claridad nocturna me permitía gozar a mi izquierda de un mar distendido olvidado de vientos. Sabía que al frente, en cuanto superara la curva, podría contemplar también el lomo desértico de las colinas. Era un paisaje conocido que repetía inconscientemente la memoria mientras allá en mi interior sonaba el eco de la voz de Blanca.

—¿Tienes coche? —me había preguntado.

—No, tengo bicicleta —sonreí despreocupado.

—Es que tendremos que vernos en lugares distintos —me explicó.

No llegaba a entender por qué tendríamos que citarnos en otros sitios. Pedaleaba más aprisa buscando que el aire me golpeara en el rostro. Eran varias las oraciones que permanecían extrañas en mi memoria. Como si la intensidad de nuestro diálogo, al cargar su espacio con las horas del tiempo pasado, hubiera caído en oscuras imprecisiones. Había términos que cambiaron de significado por el uso del tiempo y eran términos que chocaban con el deseo de que todo fuera igual entre nosotros. La misma casa de Blanca creo que me rechazaba con su frialdad aunque luego hubiera cobijado la intensidad de nuestro encuentro. Ahora, nuevamente me atosigaba el reconocimiento de mi fracaso. Y recordé que interrumpí algunas veces nuestro silencio porque me asaltaba la realidad de no haber conseguido en la vida lo que pretendía sino lo que me cedió la necesidad. Allí, en aquella casa que me llamaba intruso, me alegraba que Blanca quisiera que buscáramos otros espacios. Sin embargo era la casa en la que acertamos a recoger una página perdida y limpiar de ella el amarillo pintado por el tiempo. Aunque algo incierto, cuyo nombre ignoraba, me desconcertaba en algunos momentos.

Es probable, casi seguro, que estuviera cansado. Dejé la bicicleta en el patio, apoyada en la vieja higuera, y me senté en el porche abandonándome al silencio, que olía fuertemente a Blanca. Creo que en ese silencio, despreocupándome de mí mismo, logré dormirme.

VIII

Todavía el buen tiempo arropaba los días, queriendo protegerlos de la pérdida de luz que los amenazaba. Fueron varias las jornadas en las que antes de ir al pueblo miraba las colinas sin encontrar la silueta de Lázaro. Aunque era por las noches, en el silencio que me acompañaba en el porche, cuando más lamentaba no tener a Lázaro para dialogar. Ansiaba hablarle de mi reencuentro con Blanca y esperar que me dijera de su aproximación epistolar a Amelia. En realidad, sentado en el porche, yo continuaba manteniendo mi interno diálogo con Lázaro.

—Encontré a Blanca —le decía— como si no hubiéramos estado separados tantos años. Quizás con unas experiencias y un rictus de preocupación que antes no tenía. Es algo momentáneo, porque enseguida se anima y comienza a sonreír. Continúa igual de maravillosa. Aunque muy de tarde en tarde aventura cosas sobre la vida que no llego a comprender. ¿Y tú?

No lograba, en mi ficción, que Lázaro se incorporara como parte del diálogo. Quería que me diera noticias de algo que yo ignoraba y no estaba cualificado para imaginar. Ni siquiera podía calcular si le habría escrito la carta a Amelia y si ésta le respondería y, de hacerlo, en qué términos. Era probable que mi diario e íntimo trato con Blanca me hubiera dotado de tanto egoísmo que ya era incapaz de desplazarme a Lázaro e imaginar su proceso con Amelia. No sabía comprenderme en él.

Sin embargo algo me decía que aquella mañana encontraría a Lázaro en las colinas. Abandoné el porche, algunas de cuyas piedras habían desertado emancipándose en el mar, y guiado por la intuición extendí la mirada en busca de Lázaro. Lo hallé. No paseaba las gibas de las montañas como siempre hacía sino que estaba quieto, de pie, y yo diría que intentando descubrirme como algo más que un cuerpo al que la distancia impedía medirlo en su estatura. Levanté el brazo y lo agité con emoción. No sé si lo advertiría, porque prosiguió quieto, temeroso de que un íncubo lo despeñara hacia la rambla hermanada al desierto.

Pero yo sí me animé a enderezar mis pasos hacia la altura de la colina, ascendiendo por la parte ciega al mar, la que mantenía zonas de arena petrificada con formas prehistóricas de peces a quienes les sorprendió la muerte y dejaron en la arena el hueco recortado de haber existido.

—He tenido respuesta de Amelia —me saludó Lázaro.

El perro se movió inquieto, alegre, no sé si por la nueva de Lázaro o invitándome a que le lanzara un objeto que perseguir.

—¿Y qué? —me impacienté.

—Primero —sonrió— tendrás que saber lo que yo le escribí.

—Bien, te escucho.

—Le escribí sobre aquellos años de facultad en los que llegué a amarla y la deseaba como no había deseado a nadie. Luego le conté cómo mis hermanas se dieron cuenta de ello perfectamente y cómo me dominaban ejerciendo su autoridad. Después le expliqué que para apagar mi deseo de ella y separarnos, mis hermanas propiciaron que fuera a desfogarme a unas casas de prostitución de las que tenían noticias no sé por qué medios. Le confesé de mis días con las putas adquiriendo familiaridad para procurarme el alejamiento de ella, y, en fin, mi cobardía y dependencia de mis hermanas hasta que ellas murieron.

—Fue una larga carta, ¿no? —sonreí.

—Sí, fue larga —aceptó Lázaro—, muy larga. Pero yo quería que Amelia conociera todo lo sucedido, mi cobardía y mi sinceridad llegándome otra vez a ella.

—¿Y Amelia aceptó tu historia?

—Creo que la comprendió y perdonó. Su respuesta estuvo redactada en los mismos términos de sinceridad.

—¿Qué te decía? —me impacienté.

—Me decía que el tiempo transcurrido fue mucho y que en su curso ella había tenido experiencias en las que había perdido su virginidad. Sin embargo en algún punto de su memoria, como una pequeña luz, siempre estuve yo, la utopía de que alguna vez nos encontráramos. Luego me hablaba de antiguos compañeros desperdigados por la geografía, que las humanidades estaban a la baja en los institutos y que, incluso, a falta de alumnos de clásicas, ella estaba impartiendo clases de inglés, que era lo que los padres querían como cosa práctica. En fin, concluía afirmando que le alegró mucho mi carta y que esperaba que esta vez pudiéramos permanecer tranquilos, sin intervenciones de hermanas.

—Muy bien todo, ¿no? —le animé.

—Sí, muy bien todo —repitió—. Al menos siento que me he quitado un gran peso de encima. Confesarnos a los demás nos hace más libres.

—O más comprometidos y débiles.

—Sí, quizás. Pero eso importa menos.

Lo miré con el cariño y la admiración que podía dedicársele a quien recuperó un fragmento del pasado que parecía cubierto de polvo y olvido. Casi estuve a punto de pedirle aquellas dos cartas que se cruzaron con el fin de guardarlas como testimonio de un tiempo ucrónico conquistado en la misma historia en la que fueron realidad las *Heroidas* ovidianas.

Tuve la sensación de que el perro, observándonos, también reconoció la singular sinceridad en la que se comunicaron Amelia y Lázaro.

—Tienes que hacerme un favor —me pidió.

—Dime —acepté.

—El perro. Quiero que lo cuides cuando me vaya; no quiero que vuelva a quedar abandonado en medio de la rambla. Mañana mismo dejaré estas colinas, debo regresar a la facultad. Terminaron mis vacaciones y...

No seguí prestando atención a lo que decía, carecía de importancia. Me coloqué en cuclillas y comencé a acariciar la cabeza del perro en torno a sus largas orejas negras. Me atraían sus ojos, pendientes de mí, que parecían pedirme disculpas por no entender mis palabras, por desconocer que la palabra amistad significaba confianza y afecto desinteresado entre dos seres. Pero el perro sí apreciaba y distinguía el sonido, reconocía el timbre y tono de la voz, y no cesaba de agitar su corto rabo agradeciendo que mi voz dijera de amistad, mientras yo le pedía perdón por pertenecer a una raza que se divertía tirando a una cabra desde lo alto de una torre o disparándoles a los ciervos que fatigaban el monte.

—Sí —respondí al fin—, claro que cuidaré del perro. Y le repetiré tu nombre para que existas en su memoria.

Entonces recogí un guijarro redondeado al que habían erosionado los siglos dándole su forma y lo lancé lo más lejos que pude, que no era mucho. El perro salió corriendo por la ladera y daba saltos de alegría levantando a la vez las cuatro patas y agitando sus orejas como si echara a volar.

—Un perro —expresé—, no conozco ningún perro que declarara una guerra, ni un ciervo que argumentara discursos para mentir ni una cabra que profanara hogares y perpetrara asesinatos. Ninguno de ellos entró en la historia por arrasar una ciudad o construir cárceles, ninguno de ellos aprendió a imitar a los humanos, teniéndolos tan cerca. Ni siquiera los monos quisieron aprender nuestra lengua para así evitar la tentación de mentir.

El perro regresó con el guijarro en la boca y estuvo celebrándolo sin que dejara de agitar su rabo. Esta vez no lograron distraerlo un grupo de gaviotas que planeaban atravesando las colinas.

—Tampoco ellas —dije señalándolas— han promovido ninguna guerra, ninguna masacre.

Lázaro asentía en silencio mientras nos observaba. Luego lo vi apartarse de nosotros y dirigir su atención al espacio que nos rodeaba. Creo que estaba queriendo dibujar en su memoria el paisaje para llevárselo a la ciudad y presentárselo a Amelia, quizás también, cualquier día, a los alumnos a quienes les hablaba de Roma y los poetas. Tenía la seguridad que ya explicaría a los elegíacos con palabras distintas.

—La felicidad —le apunté— puede tener también su punto de comprensión, quizás de generosidad. Anoche, mientras buscaba el sueño, medité que tal vez Claudia no fuera tan negativa como la pinté con el fin de borrarla de mi memoria. Me pregunté si al ser ella quien solicitó nuestra separación no sería mi orgullo machista, al sentirse herido, el que argumentó una serie de aspectos para rechazarla.

—¿Piensas eso de verdad? —me preguntó Lázaro.

—No lo sé —dudé—, quizás tuviéramos ambos, o ninguno, la culpa. Sí creo que nos guió demasiado el ímpetu de la juventud no permitiéndonos ver que teníamos caracteres y gustos distintos. Quiero decir, por ejemplo, que yo conocía desde el principio su repugnancia por los perros y demás animales al igual que podía imaginar que siempre despreciaría mis aficiones literarias. Era una realidad que estaba frente a mí y que no quería ver llevado de la pasión. A su vez es muy probable que Claudia se dejara engañar por mi fachada de ejecutivo en una agencia de turismo y creyera que disponer viajes a Sudamérica u Oriente era tener en algo la posesión de esos países. Claudia era una persona a la que oír algo extranjero le seducía y procuraba que en sus conversaciones apareciera algún término en inglés o francés. *Casting* o *Have a good time!*, al despedirse, eran de los términos que más usaba. A mí me repugnaba esta paletería, pero a su madre le encantaba.

—¿También te desagradaba su madre?

—Su madre era el fiel anuncio de lo que sería Claudia cuando transcurrieran unos años. Y me asustaba. ¿Tú has conocido a la madre de Amelia?

—No, ni a sus hermanos. Ellos vivían fuera de la ciudad.

—Mejor —sancioné.

Pero Lázaro no quería continuar hablando de ello y comenzó a preocuparse por aquella decadencia de los estudios de clásicas que le había confirmado Amelia. Es absurdo —comentaba— que una disciplina que cuenta, por tradición, con los mejores docentes europeos y los más privilegiados alumnos se esté hundiendo debido a los intereses de una sociedad que cabalga hacia el final del humanismo. Sí, España tiene un patrimonio intelectual que valorar en...

Seguía. Lázaro continuaba defendiendo su dedicación al mundo clásico y creo recordar que apeló a la evocación de Roma vencedora en el tiempo de los bárbaros. Sí, creo que algo excitado acudía a nombres y monumentos de la civilización grecolatina que aún vivían y se admiraban pero yo, quizás como un bárbaro más, casi no lo escuchaba. Me rondaba por la cabeza, haciéndose fuerte, la llegada de Claudia desde el olvido y su perforar mis recuerdos. Dudaba, me preocupaba que no pudiera disfrutar del encantamiento de Blanca si no definía con equidad previamente mi pasado compartido con Claudia. Porque quizás yo hubiese tenido alguna o mucha culpa por no saber caminar en la vida junto a Claudia. Sí, ahora estaba lleno de dudas, de recoger momentos del pasado para intentar pesarlos y saber de mí mismo. Lázaro proseguía hablando de Roma, de su grandeza y saber heredar a Grecia, frente a las rupturas de nuestra sociedad, pero yo no lograba incorporarme a su decir. Más bien deseaba y soñaba ser la creación de un cerebro omnisciente ajeno que pudiera aliviarme y conducirme como si yo fuera un personaje de ficción totalmente dependiente de su creación. Rendirme frente a su omnisciencia hasta sentirme inocente y disculpado frente a los seres que traté.

Lázaro debió extrañarse por mi silencio y se sumó a él prudentemente. Ni siquiera el aire o el lejano movimiento del mar querían alimentar el sonido. Tenía la impresión de que acababa de inventarse el silencio y que todavía los seres y sus cosas no habían descubierto el movimiento. Arriba, las esferas celestes continuaban tan distantes que el sonido de su girar, que incluso se creyó productor de armónica música, se perdía totalmente en su trayecto a la tierra. Entonces di en pensar que tal vez a Lázaro también le resultara apetecible darse a un autor omnisciente que, sabedor de las cosas reales y posibles, nos fuera diseñando la vida. Pero rápidamente descarté el pensamiento por tentador que fuera entregarse a la comodidad del abandono. Me rebelé contra esa idea de perder la innovación permanente que era participar de la vida, como me había predicado en la glorieta el anciano Francisco, sintiéndose dueño de la propia existencia frente al pesimismo de abandonarla. El silencio era, indudablemente, un limpio y amplio espacio en el que podíamos escribir libremente nuestras ideas más atrevidas, pero también las más absurdas e improcedentes.

Miré a Lázaro y nos sonreímos mutuamente, como si ambos comprendiéramos que el latido de la cercana despedida nos secaba la humedad de las palabras para que sólo los ojos se expresaran. Ignoro si a él le sucedería, pero yo notaba una comezón desconocida por vislumbrar qué sería de nuestro inmediato futuro junto a Blanca y Amelia. Me inquietaba ligeramente que Lázaro no encontrara lo que esperaba en Amelia y su inexperiencia lo encerrara de nuevo en sí mismo. No sé por qué aquella frase de la carta de Amelia en la que afirmaba que había tenido experiencias y perdido la virginidad, era una frase que me golpeaba la mente. Recordaba a una chica, compañera de la agencia, cuyas raras experiencias la alteraron tanto que le despertaron agitaciones de ninfómana que estaban dormidas. No tenía ni el más mínimo indicio de que le ocurriera tal cosa a Amelia y tal vez hubiera cambiado mi pretensión de ser una criatura de ficción por la insidiosa manía humana de juzgar. Me daba cuenta de que carecía de humildad para aceptar la dependencia de un creador omnisciente y, sin razón alguna, alimentaba infundadas sospechas sobre Amelia. Creo que me entristeció reconocerme como simple persona humana y aun así insistí:

—¿Qué fue del tiempo de Amelia cuando no estabas?

—Creo que ya te dije que ganó unas oposiciones de instituto. En su destino conoció a un antiguo compañero nuestro con quien colaboró en algunas investigaciones y en una traducción de Trifiodoro.

—¿De quién? —me extrañé alarmado.

—De un gramático y poeta griego casi desconocido, de origen egipcio, que escribió un poema sobre la caída de Troya.

—No lo había oído jamás —confesé.

—Es muy lógico.

—¿Y la traducción de ese poema sobre Troya les llevó mucho tiempo?

—No lo sé —respondió displicente.

No me atreví a decirle que una prolongada y estrecha colaboración puede ir más allá de la amistad. Afortunadamente distraje mi absurda sospecha de Amelia. Después, en la noche, juzgaría tal sospecha como un sucio residuo de las habladurías escuchadas en mis ocios de ejecutivo donde no siempre se argumentaba sobre fútbol. En la soledad de la casa de la playa me ruboricé de mi estúpida imaginación suponiendo trayectorias eróticas en una vida desconocida que era amada por Lázaro. Posiblemente trasladase al pasado cercano de Amelia mis pensamientos sobre la conducta de Blanca después de mi salida del pueblo. No lo sé. Comencé a revolverme inquieto en el jergón recordando las muchas veces en las que fui injusto e imprudente en mis apreciaciones, y acabé saliéndome al porche con el fin de que el aire llegado del mar me despejara. Porque acudían a mi memoria personas y personas a las que había medido por el dictado de mi egoísmo, juzgándolas por mi interés o negándolas por cobardía. Sí, me decía que la noche, con su silenciosa oscuridad, era propicia a pintarnos acusadores nubarrones. Pero es que también acudía hasta mi insomnio el recuerdo de los varios perros con los que compartí días y que desde sus tumbas me reclamaban una calidad de cariño que no supe darles cuando les tocó la enfermedad o la vejez. Y aún en el porche, con el aire despertándome, tendía mi mirada al horizonte, ocultado por la oscuridad, pidiendo que alguien me ofreciera la mano y me exculpara del pasado otorgándome redención.

Sin embargo, en la mañana de aquel día, había sido distinto. Ascendí a la colina deseando llevarle a Lázaro mi alegría por reencontrarme con Blanca. Mientras subía recordé incluso cosas tan lejanas como los días de Nochevieja, cuando el nuevo año me sorprendía redactando un cuento, posiblemente impublicable, que yo ofrecía para que mi vocación literaria se cumpliera. Estaba impaciente por encontrarme con Lázaro, abrazarlo, y que me dijera si Amelia le había respondido. Cuando me expresó: «He tenido respuesta de Amelia», lo abracé sin casi permitirle que continuara ampliando su comunicación con el apasionado cruzarse epístolas, al igual que hacían los amantes de las *Heroidas* ovidianas. Creo que sabía el contenido de las cartas antes de que él las leyera. Hablábamos y hablábamos deprisa, conociendo lo que el otro nos decía antes de que lo pronunciara. Y, de pronto, nos callábamos, como si el presente feliz nos advirtiera que debíamos acostumbrarnos a que el diálogo entre nosotros dejaría de existir. Sé que yo quebré el primer silencio preguntándole:

—¿Y sabrás recibir a Amelia, decirle algo?

—No sé —me respondía.

Parecíamos dos infantes lelos que jugaran por primera vez con la palabra amor que tanto y tan variamente se había conjugado desde que Adán y Eva tuvieron que perdonarse por vez primera a causa de una endemoniada manzana.

Fue luego, llevado por la amarga inseguridad que a veces me comía, cuando estúpidamente comencé a darle alimento a la duda y, sin motivo alguno, pensé en las aventuras eróticas de Amelia. Me inquietó que pudieran dañar a Lázaro y sé que pude rechazar mis sospechas en cuanto imaginé que estaba conduciéndome de modo parecido a como Angustias, la hermana de Lázaro, se había comportado con él. En el fondo es probable que lamentara que la alegría por encontrar a Amelia estaba rompiendo nuestra amistad al inducir a Lázaro a dejar las colinas.

Lázaro me protestaba del abandono escolar por la lengua y cultura clásicas y yo no lograba evadirme de los gritos reivindicativos de Claudia queriendo escapar del olvido en el que la había encerrado mentalmente.

Me parece que fue entonces, o poco después, cuando Lázaro me invitó a que descendiéramos y, rambla arriba, nos llegásemos al cortijo en el que moraba. Allí, me precisó con algo de sorna, era donde el buen cortijero, de nombre Raimundo, había decidido organizar un convite para despedirle.

Una vez superado el recodo de la rambla que pisábamos se nos mostró una montaña que, casi como peñón tajado, estaba sola y desmochada por los caprichos de la naturaleza y la ambición del hombre. Piedras irregularmente amontonadas, posible recuerdo de una alineación, parecían denunciar el proyecto de un castillo o fortaleza de cuando moros y cristianos se quebraban mutuamente la crisma con saña. Desde abajo, antes de poner pie en la vereda que nos conduciría, resaltaba con qué acierto había escogido el hombre lo escarpado de la montaña para construir un cortijo que tendría como una de sus paredes la acerada roca. Ya cerca, Lázaro me anunció:

—Los dueños quieren aclimatarlo para el turismo interior. No es mala idea porque se tienen desde él unas vistas extraordinarias.

Efectivamente, se notaba el trajín de los albañiles remodelando habitaciones y poniéndoles rejas a las ventanas con cara al mar.

—Les he dicho —me señaló Lázaro— que conserven el enrejado de puertas y escaleras. Y que no renieguen de comidas propias como las migas de harina o el caldo de pescado.

El zaguán era amplio, con puertas que daban a remozadas habitaciones dotadas de lucernas y una escalera de ascenso al piso superior.

—Toda esta reforma es idea de la hija de los cortijeros, por nombre Leocadia, y con la que realmente tengo más trato. Su padre, que enviudó hará cuatro o cinco años, se casó no hace mucho con una de la sierra que cuenta poco y peca de rústica. Leocadia me dijo que su padre salió un día a la sierra, al igual que iba de caza con la escopeta, y cobró como pieza a su mujer. Pero no se llevan mal, son todos muy trabajadores.

Me sacudió el presagio de lo que cambiaría todo esto cuando transcurrieran cien años y evoqué lo que sabía de las antiguas ventas y cortijos de siglos pasados, donde los arrieros que las visitaban hospedándose en ellas eran quienes a la hora del yantar se reunían a comentar y divulgar las novedades que corrían por la región o incluso la común patria. Ahora, el sonido de la televisión, instalada en el amplio zaguán, me recordó que eran sus emisiones las que comunicaban a los cortijeros y los huéspedes las convenidas novedades que circulaban por el mundo.

—Es mucho más rápido y amplio —señalé—. Además, resulta más cómodo y no desgasta la imaginación, que duerme sin trabajo.

—¿De qué hablas? —me preguntó Lázaro.

—Me decía en voz alta —respondí— cómo nos modifica el progreso otorgándonos molicie y cercenándonos la imaginación. Al oír hace un momento cómo la televisión nos mostraba paisajes y personas lejanas he recordado el viejo tiempo en el que en ventas de camino, como la que aquí quiere imitarse, los arrieros y campesinos que se acercaban a la lumbre se contaban y celebraban las cosas de la corte y episodios maravillosos de los libros de caballería. Aquellos hombres que oían hablar del gigante Patagón, podían imaginarlo y bautizar luego con su nombre la Patagonia. E igual sucedió al levantar con la imaginación el nombre de las belicosas amazonas y conducirlo para nombrar al gran río americano. Hoy día, con la televisión dirigiendo la mente, nos dan a los gigantes y a las amazonas ya retratados para que no gocemos de la creación de imaginarlos. O bien...

Me detuve porque me alcanzó la sensación de que estaba usando ante Lázaro una erudición pedestre muy propia para obnubilar mentes que a cambio de ello me regalaran democráticamente sus votos. Sonreí en un intento de disimular y aún añadí:

—Puede que la imaginación sea ya un esfuerzo inútil y la metáfora un lujo innecesario difícil de formar. Aunque espero que algo permanezca señalando que estuvimos en la tierra.

—Sí, algo quedará —manifestó encogido Lázaro.

—Pero me temo que un día —advertí—, dentro de unos cien años o antes, nos quitarán la palabra y el vicio de la lectura, para hacer el mundo aún más ajeno al hombre.

Presentí que no era mi día y que me hallaba preso de un discurso emanado del pesimismo. Quizás planeara un tanto sobre nosotros la despedida y queríamos manifestar nuestra comunión de ideas antes de que la separación decidiera.

Lázaro me invitó a que lo acompañara a su habitación, en la que destacaba una cama antigua de barrotes negros con culminación dorada que podía ser válida para tres personas. Se dirigió a un armario sujeto a la pared por una cuerda, con objeto de que al abrirlo no se venciera siguiendo la gravedad, y descolgó un traje negro que al punto reconocí como aquel que portaba cuando recorría las gibas de la montaña. Lo señaló:

—Vamos a llevarlo a mejor vida.

Salimos de la casa seguidos del perro. No anduvimos mucho antes de encontrar un árbol de ramas extendidas, un pino mediterráneo que vivía aislado. Lázaro colgó el traje adecuadamente, pareció limpiarle el polvo, y lo acompañó del sombrero negro. Se volvió hacia mí y sonrió como un triunfador. Fue el momento en el que mi torpeza me permitió advertir que Lázaro había cambiado de hábito en aquella mañana. Nos retiramos un poco para observar con perspectiva el traje embutido entre las ramas. Supuse que en poco tiempo perdería su aspecto de tétrico espantapájaros y las aves lo deshilacharían para construir nidos o las alimañas lo harían trozos útiles para abrigar las camadas. Creo que Lázaro, pensativo, percibía que con el traje colgado del árbol había colgado la razón de sus cavilantes paseos por las colinas. Me pareció al contemplarlo abandonado que habíamos construido una metáfora que fundía perfectamente el elemento real y el analógico. Era una victoria, pero también el anuncio de una prevista separación.

—Ahora —dijo Lázaro— nos comeremos unas buenas migas guisadas por Bernarda, aunque ella no sea precisamente la Diotima que se manifiesta en *El Banquete* platónico.

Bernarda era aquella serrana que el cortijero se cobró el día que salió de caza por los montes; una desbordante mujer de las que gustaban antes en los pueblos del interior por sus muy tentadoras proporciones, especialmente los pechos, desarrollados para bien criar. Sus encarnadas chapetas y el decidido andar conduciendo sin apuros los cántaros de agua, exteriorizaban que el cortijero había escogido bien su pieza de caza, aunque su hija, un tanto vencida por la modernidad, la tachara de algo zafia en las hechuras y en el decir, que era parco en manifestarse.

Imaginé, por sus dimensiones, que el zaguán sería el espacio que recogería a los visitantes cuando el cortijo acabara de transformarse. En su centro, no sé si provisionalmente, estaba situada una mesa redonda, grande, a cuyo alrededor estaban colocadas las sillas adecuadas para el convite. Recuerdo que miré a Lázaro preguntándole si aquella disposición se correspondería con el espacio de *El Banquete* platónico en el que discurrían Pausanias, Sócrates, Fedro o Aristófanes sobre el amor y la belleza. Lázaro debió leer mi mirada y sonrió. Detrás de nosotros, Bernarda se afanaba en arrimar sarmientos a la lumbre que daba fuego a una sartén de migas sostenida sobre unas trébedes. Para cuando las migas que Bernarda revolvía finalizándolas decidieran ir a la mesa, ya estarían esperándolas unos tentadores platos de longaniza, morcilla, rábanos chicos, cabezas de ajo asadas, uvas, sardinas y unos cuencos con gazpachuelo bien fresco. Evidentemente, Bernarda no discurriría sobre la apetencia de los mortales a vivir siempre y ser inmortales o su deseo de gozar de fama y defender el amor heterosexual como propagación de la vida, pero aquellas migas que nos ofrecía no las habían catado, ni en sueños, en la toscana villa Careggi, donde Ficino renovaba el aniversario de Platón comentando con sus amigos los discursos de *El Banquete* detenidos en el origen, dignidad y grandeza del amor.

Satisfecha de su obra, Bernarda se orientó el delantal en el cuerpo para sentarse pulcramente en la mesa mientras la hija del cortijero iba repartiéndonos cucharas para que cada uno recogiera a su gusto las migas de la sartén, que era plato común a compartir. En verdad que la comida ofrecida por los cortijeros tenía todo el encanto de lo ofrecido con la nobleza de la natural humildad. Yo echaba de menos un orondo cura pedáneo que bendijera los alimentos, y la presencia de algún gato negro que merodeara entre nosotros ofreciendo su lustroso lomo para ser acariciado, pero no corrían tiempos de clericalismo, así que nos afanábamos profanamente en vaciar la sartén de migas.

Era inapropiado y quizás pedante apelar por mi parte a *El Banquete*, pero me acordaba de que en el último año del colegio tuvimos un profesor joven de avanzadas ideas que nos explicó detenidamente el texto de Platón. Por cierto que nos contó enojado cómo su muy admirado Sócrates había sido irónicamente representado una vez por Aristófanes como alguien colgado del techo en un cesto para que su mente no tuviese contagio de la tierra. El profesor, bien lo recuerdo, ponía especial atención en mostrar cómo todos los personajes de *El Banquete*, menos precisamente Aristófanes, defendían la superioridad del amor homosexual sobre cualquier otro. Y se cargaba de énfasis al manifestar cómo Alcibíades hizo notables esfuerzos para seducir a Sócrates, quien a su vez en otros diálogos se había excitado al observar el escote de un adolescente, o se ofrecía como maestro en dar consejos para conquistar jóvenes, ganándose la admiración de todos. Aquella defensa de la homosexualidad que esgrimía nuestro profesor con *El Banquete*, especialmente centrado en Sócrates, nos hizo que salvajemente lo consideráramos como lo que hoy se llama gay y entonces se apostrofaba con menos delicadeza.

No creo que hubiese ninguna razón en que el capricho selector del recuerdo convocara a esos mis años de estudiante y miré a Lázaro como si pretendiera disculpar mi evocación ante su autoridad. El caso es que el recuerdo me vino porque inesperadamente Bernarda comenzó a hablar y yo contrasté internamente su decir con el dialogar sobre el deseo de la fama y la modalidad del amor en cuanto actividad que revivía la memoria. Después de todo, Lázaro y yo estábamos en aquel rústico y amable banquete por causa del amor.

—¿Vendrán a visitarnos otra vez? —acabó preguntando Bernarda.

—¡Claro! —respondió urgente Lázaro—. En cuanto que me case, como espero, vendré por aquí a respirar las colinas.

—¿Y usted? —me requirió Leocadia, apocopada Leo por sus amantes.

—Yo vendré pronto a pasar un par de días. Con mi pareja —me atreví a pronosticar.

—Para el año que viene —aseguró el cortijero— tendremos ya todo esto apañado. Con los corrales de abajo en condiciones. Por aquí hay que guardar bien las gallinas porque hay zorros demasiado *avispaos*. Lobos ya no, los descastaron los cazadores y otros huyeron *pa* más adentro. ¿Les gustan las migas? Son más bien de tiempo frío, pero también gustan ahora.

—Están riquísimas —alabé con justicia.

—Sí, pero ahora lo que priva es el gazpacho.

Mi estómago le daba la razón al cortijero y comenzaba a sentir un calor excesivo. Observé que Leocadia, y algo menos Bernarda, me miraban con una curiosidad acentuada desde que dije que volvería pronto acompañado de mi pareja. Pensé nuevamente en lo que recordaba del texto platónico, que no era ya mucho. Sí, creía estar seguro de que aquellos comensales griegos presentados por Platón discurrían básicamente sobre el amor y la actividad que generaba, discrepando en ocasiones. Lázaro no parecía darse cuenta, pero yo intuía que a las dos mujeres les agradaría que hablásemos del amor, aunque estuviéramos en un ambiente rústico, que rústico era cuando no hace tanto tiempo pastores y pastoras contaban y cantaban de amor y desamor. Sin embargo no me atreví a proponerle a Lázaro que departiéramos sobre este argumento en el que también estábamos enganchados.

Ahora, con Lázaro ya camino del encuentro con Amelia, creo que fue oportuno que tras la comida no hablase del amor, aunque a Bernarda y Leocadia les interesara, quizás viciadas por tantos programas de enredos amorosos que les ofrecía la televisión. Ahora, de nuevo solo en la casa de la playa, sé que Eros, que fue amante del saber o filosofar y creció bajo el deseo de poseer la belleza, es un Eros mítico y perdido que no existe. Diría que alcancé esta idea en el propio cortijo, mientras intentaba digerir las migas, y Bernarda me miraba como si yo respirara un aire muy lejano. Bernarda, contratada a bajo precio por el cortijero para ser su mujer, es posible que pudiera expresar una realidad acerca del amor que despellejaría al joven dios Eros alejándolo de cualquier celebración. Era probable que Bernarda, sin un tizne en su mandil y su pelo recogido en un moño para no aventar tentaciones, fuera la única que se barruntara algo de lo vivido en total mutismo por mi mente.

El calor iba de despedida cuando le pregunté a Lázaro cuál era su momento de partir.

—A la caída de la tarde —me respondió.

A la caída de la tarde era una preciosa metáfora que

había sido conquistada por el habla popular. Incluso los novios seguían citándose a la caída de la tarde en su huida de la atadura concreta. No quise que Lázaro me precisara cuándo caía la tarde en aquel territorio dominado por unas colinas aupadas junto al desierto para oler la respiración del mar.

Pero la tarde estaba a punto de caer y Lázaro se marchó después al pueblo para tomar el tren que le llevaba al encuentro de Amelia.

Desde la colina, con el perro al lado contemplándome, miré hacia la casa de la playa. Me pareció que el silencio reverberaba sobre ella queriendo llevarla hacia el mar para escribir su final. Era el silencio, no la luz o el sonido, lo que veía reverberar y avisarme.

Ya en el porche de la casa acaricié agradecido al perro y comencé a dirigirle la voz como si fueran infinitas las palabras que le adeudaba y temiera andar corto de tiempo para componerlas.

IX

Al levantarme al día siguiente no sabía muy bien dónde me encontraba y qué hacía en aquel lugar. El transistor que me había regalado Lázaro emitía voces pretendiendo captarme para asumir o reprobar supuestas realidades que no comprendía y que eran defendidas por dos contertulios ilustres que, bien guarnecidos de intereses, se dedicaban improperios con tal desatino que era una maldición reconocer que los gobiernos eran necesarios dada la incapacidad del individuo para gobernarse a sí mismo. De tal modo que lancé al fondo del mar el transistor después de enmudecerlo para no ofender los oídos de los peces y cangrejos que nadaban en feliz acracia.

Tenía el perro sentado a los pies, aguardando con la mirada que alguna de mis palabras le anunciara el destino. Me dirigí a la playa y me introduje en el mar seguido por el perro. Nadé un poco. Después, ya en pie desde la playa, dirigí la mirada a las colinas buscando a aquel hombre enjuto, anacrónicamente vestido de negro y tocado de sombrero de igual color que recorría las gibas de las montañas como queriendo medirlas una y otra vez con sus pasos. Era una mañana de una claridad extraordinaria. Se diría que una intensa luz descolgada de los cuadros velazqueños había abandonado la vigilada quietud de los museos para fecundar aquella luz única que sólo tenía su par en un punto de Grecia también visitado por pintores y poetas. Me costaba trabajo tener despierta la mirada y no gravitar hacia la luz desalojándome de materia.

Poco a poco fui ordenándome mientras preparaba el desayuno y asimilaba que Lázaro ya no pasearía las montañas. No olvidé que el perro tuviera su buena ración de gránulo y vasija con agua que beber. Repasé que debía ir al pueblo, medir con Francisco la conveniencia de alquilar un coche, quedar con Blanca, adquirir una bolsa de alimento canino, café preparado para mí, latas, pan de molde, mermelada... Me reí porque me recordé en una tía mía ya viejecita que se hacía una larga lista antes de salir a la calle para no olvidar nada. La pobre murió una tarde, sentada en un banco de piedra frente al mar, mientras se comía un pastel que no pudo terminar y se le quedó en la mano. Se llamaba Ascensión.

Dejé al perro encerrado en la casa para que no me siguiera y cogí la bicicleta. Por el camino, mientras pedaleaba, iba sintiendo el silencio dejándose invadir por el oleaje y el lacerante sonar de uno de los guardabarros que había olvidado ajustar.

Busqué en la glorieta el banco de siempre, frente a la casa ilocalizable en la que había nacido. Era como si un no sé qué desconocido hubiera detenido el tiempo en mi mente. Hoy era ayer decía mi realidad, pero también me aseguraba que era mañana. Puede que fuera el temor quien anulaba en mí cualquier inquietud y me mantenía en un estatismo absurdo que contradecía el movimiento de las hojas o el peregrinar de las palomas. Me decía que la afirmación de que hoy era ayer no pasaba de ser un concepto tendente a buscar la realidad de los encuentros con Blanca que nos aguardaban. Deseaba que al igual que ayer me escapaba con ella para celebrar nuestro amor, ese ayer se cumpliera hoy, fuera realmente hoy en cualquier camino escondido o en una playa animada por la oscuridad. Lo cierto es que estaba confuso y me parecía estar dando vueltas sobre mí mismo sin saber moverme. Vencido por esta situación no advertí la presencia de Francisco hasta que estuvo frente a mí y oí su voz amiga. Era como si no hubiera llegado por alguna parte. Me sorprendió y me desperté a mí mismo con el sonido de mi palabra al proclamar con urgencia:

—Tengo un perro y tengo que alquilar un coche.

Francisco sonrió ante la precipitación de mis palabras, que brotaron liberadas de una prolongada prisión. En ese goce explosivo de libertad conquistada añadí:

—También me he quedado solo en las colinas. Lázaro se marchó a la ciudad, a sus clases de latines y a su encuentro con Amelia.

—¿Tienes prisa? —me preguntó Francisco serenándome.

—No, no —respondí—, si acaso quiero que me oriente para alquilar un coche pequeño. A Blanca la veré luego, cuando la tarde vaya de vencida.

—Pareces inquieto, como si acabaras de despertarte y fueran muchas las cosas que tienes pendientes.

—Bueno, tengo que comprar unas cosillas de nada y escoger un coche, únicamente eso.

—Y hablarme, ¿no?

—Sí, claro, le hablaré de la despedida de Lázaro,

que fue con una comida en el cortijo donde vivía. Nos hablaremos según vayan tirando de nuestra lengua las palabras. Allá en mi casa de la playa no tengo a nadie con quien hablar, salvo lo que quiera oírme el perro.

—¿Y tan sólo eso te ha ocasionado precipitar las palabras? Apenas dijiste buenos días y tu boca se abrió soltando palabras al igual que el agua se desborda cuando le abren las compuertas.

—La verdad es que deseaba que usted llegara.

—Bien, ya llegué. ¿Por dónde empezamos?

—Por el coche. Luego buscaremos con el coche al perro, lo montamos, compramos las demás cosas, le invito a comer... y hablamos, hablamos mucho.

—¿Siempre planeas así?

—No, es la primera vez; por eso tengo la celeridad de los neófitos.

—Bueno —intentó fijarme—. En el pueblo hay varias casas de coches de alquiler. Cerca de aquí, en la que fue fonda Jorquera, el hijo de un viejo amigo, Periago, tiene un taller de automóviles, un amplio local en el que los expone y alquila.

—¿Vamos? —lo animé.

Se apoyó en su cayado de pastor y fuimos hacia el taller de Periago, a quien Francisco saludó con afecto. Le expuse que deseaba un coche pequeño, un utilitario para usar diez o doce días y me celebró que precisamente esa mañana, unas horas antes, habían devuelto unos catalanes un automóvil que, en cuanto lo revisaran y lavaran, podría llevármelo. En un par de horas todo estuvo listo.

—¿Y ahora vamos a tu casa? —me preguntó Francisco.

—Sí, verá dónde vivo.

Nos detuvimos brevemente a la salida del pueblo en el almacén o colmado en el que siempre adquiría los alimentos y objetos de limpieza. El automóvil proporcionado por el diligente Periago marchaba bien y no tardamos en llegar.

—Ésta es la casa que habito —le señalé a Francisco mientras nos llegaba el cariñoso saludo del perro.

—Apresúrate a vivirla —me advirtió—, porque dentro de muy poco ya no existirá la casa.

Atrapado por la costumbre, dirigí la mirada hacia la altura de las colinas en tanto que acariciaba al perro como testimonio de algo perdido. A mi lado escuché la voz de Francisco:

—Hace tiempo que no vengo por aquí y no recordaba con este dibujo las colinas —me precisó—. Creía que los picos estaban más aislados entre sí. Ahora me parece que representan una quijada prehistórica a la que el tiempo la despojó de los dientes. Es como si el viento se hubiera vengado de que la colina hiciera de barrera entre el curso de un río y el mar. El viento, que vuela por donde la historia no alcanza, ha horadado la cima de la montaña. ¿No lo percibes?

No, no lo percibía. Lo que sí me parecía es que las humedades de la rambla expresaban su llanto por la condena de ser un cauce que corría paralelo al mar contra su natural querencia de abordarlo. Las colinas eran un dique extraño que conducían la rambla a una salida lejana gracias al desfiladero.

—Todo es aquí un poco extraño —admití—; incluso la luz. Creo que la luz es tan intensa que adquiere un invisible volumen, un peso que nos condiciona.

Distraído, no me di cuenta de que el perro inició el ascenso de las colinas para encontrarse con Lázaro. Tuve que llamarlo con insistencia y correr un poco tras él. Al fin lo recogí y estuve explicándole que Lázaro se había marchado a otro lugar distante. Creo que lo entendió; los perros siempre saben traducir el tono de la voz que les habla.

—Ahora —Francisco señaló al perro— tendrás que registrarlo en el ayuntamiento y que el veterinario lo vacune y le extienda un carnet. ¿Es por allí —relacionó— por donde viste pasear a Lázaro?

—Sí, por allí paseaba y allí nos reuníamos.

—Yo nunca lo vi —me sorprendió.

—¿No vio nunca a Lázaro?

—No, no lo vi, aunque le diera el nombre de Lázaro. En verdad dudo que alguien del pueblo lo llegara a ver como tú.

—Yo creía... —comencé a protestar.

—Sí, lo sé. Puede que alguien viera alguna vez a un hombre vestido de negro caminando las montañas. Quizás un maquis, no sé. Habló de él en el pueblo y uno, posiblemente yo, lo relacionó y situó en esa leyenda de una sima prodigiosa con sonido de mar. Resucitar una leyenda y hacerla vivir es una cosa hermosa. Un pueblo que no tiene y oye leyendas es un pueblo por el que no corre la historia. Perdona si te confundí al principio hablándote de Lázaro.

—Yo sí conocí a Lázaro —afirmé—. Caminé con él y se marchó anteayer, dejándome al perro.

—Sí, no tengo duda de que tú sí lo conociste.

Nos quedamos en silencio. Como si hubiéramos roto la vasija en la que bebíamos y ya no pudiéramos recoger el líquido. Pero no era así, no existía nada que negara mi amistad con Lázaro, con un catedrático de latín enamorado de Amelia al que dimos un nombre que no tenía para poder existirlo. Tampoco el nombre de Francisco era el que le dieron sus padres o quien lo bautizara, si es que alguien lo hizo.

Fuimos hacia el automóvil para regresar al pueblo. Tuve la impresión de que el perro jamás se había subido a un coche, al igual que nunca habría llevado collar ni conocía la sujeción de una cadena. Intenté explicarle, ante la sonrisa de Francisco, que la civilización imponía ciertas normas. Partimos con algo de nostalgia por mi parte.

Mientras conducía estuve tentado mil veces de parar, descender y contemplar las colinas en un deseo de que la mirada pudiera hacer que el tiempo retrocediera. Pensé en Blanca, en la sonrisa de Blanca cerrándose entre mis labios para que compartiéramos el aire de lo que ansiábamos. Es probable que, involuntariamente, musitara el nombre de Blanca y el pensamiento de Francisco recogiera su sonido, porque impensadamente me preguntó:

—¿Has conocido a los amigos de Blanca?

—Sí, conocí a unos pocos.

—¿A Valeria?

—Bueno, a Valeria ya la conocía de antes. También está divorciada.

—En el pueblo dicen que Blanca y Valeria son muy amigas.

—Es posible. Creo que todos forman una pandilla muy unida.

—Sí, eso dicen; constituyen un círculo muy especial.

Me extrañó un poco la fría respuesta de Francisco. No tenía nada de particular que Blanca y Valeria hubieran continuado la amistad que tenían antes de casarse y que incluso la acrecentaran después de sus divorcios. Yo no intentaría distanciarlas, absorber a Blanca, y no terminaba de descifrar la curiosidad de Francisco preguntándome por Valeria, a quien no creía que conociera ni de vista.

Comimos en un chiringuito bajo un toldo de cañizo y el aire del mar saludándonos. Era un lugar en el que conocían a Francisco y donde el perro sentía la libertad. Por los altavoces se escuchaba una música lánguida que ayudaba a festejar la hora de la siesta. Era lógico que recordara la comida de ayer en el cortijo despidiendo a Lázaro.

—Una vez —expresé— casi obligué a Lázaro a buscar esa sima maravillosa que anunciaba la leyenda. Lo único que encontramos fue una cueva abandonada y sucia. Y también supe por él del hombre que caminaba las colinas. Parece ser, según la cortijera, que era un buscador de vetas metalíferas que acabó marchándose sin encontrar nada.

—Sí —se sumó Francisco—, ése debía de ser el hombre enlutado y misterioso de cuya realidad tu imaginación hizo heredero a Lázaro para crear una leyenda.

—Usted me contó la leyenda —lo acusé.

—Sí, es verdad, y yo la creía para poder contarla. Pero en cuanto una leyenda se quiere hacer realidad se la destruye, deja de existir. La realidad es un contacto que corroe la imaginación privándola de interpretar y defender la vida. Te lo dice un viejo republicano que encestó demasiados fracasos por culpa de la realidad.

Llevé la mirada hacia el mar para buscarle sus leyendas. Leyendas que, como la del Caballero del Cisne, que me contaba mi abuela, se interpolaban en la tan seguida historia de las Cruzadas, para humanizar la realidad de la guerra entre cristianos y musulmanes. Me llegaban de la memoria otras varias leyendas que al recordarlas con la imaginación me animaban a cerrar los ojos para escucharlas.

—La siesta —le oí a Francisco.

Abrí los ojos y lo miré certificando la realidad de su presencia. Francisco debió suponer que yo descendía de otro ambiente y tiempo lejano e intentó justificarme:

—A estas horas, después de comer, el cuerpo nos pide siesta.

—Sí, es cierto. Pero yo no dormitaba —me defendí—, sino que reclutaba leyendas que ayudaron a que la historia caminara con algo más de atractivo. Con alguna frecuencia me acostumbré en mi soledad a mirar el mar y buscarle viejas leyendas que yo intentaba continuar. Así me animaba por las noches allá en la casa de la playa y rellenaba en mi cerebro el vacío que me dejaba la necesidad de olvidar tantas cosas. A veces, como en esa narración del Caballero del Cisne, buscaba algún resquicio en el que poder intervenir como personaje. Supongo que es algo bastante común. Le diría que fue una actividad que mantuve, logrando en parte que mi ex mujer desapareciera hasta que de repente un día se presentó Blanca y comencé a explicarme por qué había venido a este pueblo y no a otro sitio. Todo es un poco complicado, ¿no le parece?

—No, no es muy complicado. También yo, a mi manera, realizo algo análogo y más compartido. La noche anterior a que mi equipo de fútbol juegue un partido me imagino que yo soy jugador, delantero, y que marco goles. Sé que es una tontería, una vulgaridad monótona, pero me entretengo, lo que a mi edad ya es bastante.

—Es posible —quise identificarme— que si a mí me gustara el fútbol y lo entendiera hiciera lo mismo. Creo que se trata de ese «vivirse en un otro» a lo que tanto ayuda el bombardeo mediático facilitándonos desplazamientos más asequibles que la lectura o la música clásica con la que se atraía en los salones del siglo XIX.

No me atrevía a decirle a Francisco que estaba inquieto, o quizás desorientado, porque en la noche anterior había intentado transformar en leyenda mi pasado junto a Blanca y ahora deseaba comprobar su validez. Es posible que Francisco percibiera mi pensamiento porque me animó:

—Cumple tu inquietud sin miedo. Eres joven y puedes. Después, cuando llegues a mi edad, contemplarás lo pasado como muy lejano. A veces, en las noches, me quedo mirando fijamente mis arrugadas manos y me parece que fueron otras las que acariciaron lo que amaban. Casi me da vergüenza confesarlo.

Inconscientemente, miré las manos de Francisco y advertí cómo la edad se había acunado en la piel arrancándole previamente su tonicidad. Costaba trabajo imaginar que esas manos hubieran movido la caricia y comprendía perfectamente que huyera de su realidad al mirarlas por las noches. Era torpe intentar rebatirle esta realidad y regresé a mis intentos de recuperar el pasado con Blanca.

—La distancia con lo que fuimos también deforma el pasado y puede acercarse a la leyenda. Anoche, mientras pensaba en mi encuentro de hoy con Blanca creo que adulteré un poco mi pasado con ella.

—Pero el otro día —me objetó— ya la hiciste actualidad, la encontraste en hoy.

No quise responderle porque circulaban por mí contrastes que, según pintaran, me alejaban o acercaban a la Blanca vivida en mi pasado. Al encontrarla en El Balneario recibí a la mujer que había dejado varios años atrás, con la misma sonrisa y alegría que tenía en mi memoria. Era como si el tiempo se hubiese detenido y viniéramos a recogerlo en aquel mismo punto en el que se detuvo. No había nacido ningún día sin nosotros. Pero luego, en la tarde, al desnudarse y recibirme era ya una Blanca distinta que en algunos detalles me manifestaba que el tiempo le sembró experiencias ajenas a mí. De pronto sentía frialdad en sus labios, en los que parecían secarse de helor nuestras palabras. Y luego se alegraba o yo creía que se alegraba y la recogía como el más preciado regalo que podía ofrecerme el régimen de soledad.

Miraba a Francisco pretendiendo que entendiera la causa de mi silencio. Quería explicarle que permanecer callado obedecía a una razón de intimidad difícil de explayar, incluso ante mí mismo. Algo me decía que aquellos contrastes que hallaba en la conducta de Blanca eran manifestaciones que los días me irían desvelando, y refugiaba mi preocupación en la rapidez con la que todo llegó, sin que el cumplimiento amoroso diera sosiego a mi inquietud. No quería, pero entonces me alcanzó de repente el recuerdo perdido de Claudia. Con ella sí, con ella había calmado mis impaciencias poco antes de casarnos después de una noche de fiesta.

—Pero es que con Claudia no existía un pasado —expresé en voz alta.

Era lógico que Francisco se extrañara de mi afirmación y creí oportuno aclararle:

—Quiero decir que después de un mes o algo así

Claudia y yo nos casamos. Me apetecía mucho estar con ella. La realidad es que el pasado común de Claudia y mío fueron unos pocos días, apenas nada.

—En cambio —me completó Francisco—, el pasado con Blanca fueron muchos meses. Una vida que ahora retorna y pide el cobro del tiempo perdido, ¿no?

—Eso es, exactamente eso —confirmé—, y el proceso me crea dudas. Al besarla pienso si la estaré defraudando respecto al pasado, cuando lo hacía con toda naturalidad. Otras veces mi duda nace al imaginar si al besarla me estará comparando con otros, con su ex marido por ejemplo. Todo es muy distinto del tiempo en el que nos conocíamos y estrenábamos la novedad sin que incidiera un pasado sobre la actualidad. ¿Me comprende?

—Sí, te entiendo. Posiblemente estuviste demasiado tiempo encerrado con la soledad en esa casa de la playa. Y todo es más sencillo, más natural de lo que piensas.

Puede que Francisco tuviera razón. Pero yo aún estaba sorprendido de aquel encuentro de nuestro pasado con la actualidad, queriendo fundirse, mientras no observé ninguna sorpresa en Blanca. Sólo la alegría de que nos encontráramos como quien se alegra de hallar un pendiente o una fotografía que creía perdidos. No advertía ningún asombro en Blanca y me extrañaba su invitación de ayer a compartir la intimidad como si no hubiera existido un largo tiempo construyendo el pasado. Pensé en que quizás las nuevas generaciones hubieran perdido la capacidad de asombrarse vencidos por la comodidad de no comprender y de que todo fuera sucediéndose. Efectivamente, podría razonar Blanca, todo va sucediéndose en el plano mullido del tiempo y no valía la pena sorprenderse porque de un modo u otro un día siempre descansará en el siguiente y de modo ininterrumpido irán sucediéndose aunque intentemos atarlos.

—Antes no era así —prorrumpí.

—¿Qué no era así? —se interesó Francisco.

—La vida.

—Sí, la vida siempre es lo mismo aunque la disfracemos porque nos gusta el carnaval y buscar frases que no significan nada. ¿Tú oíste hablar de don Raimundo Sastregui?

—No, desconozco quién es.

—Pues don Raimundo, que sería un político destacado de la región, se marchó a otro pueblo y alquiló una puta, la vistió con elegancia y se presentó con ella en todas partes para presumir de conquistador. Se disfrazaba así porque era lo que se llevaba, tener una querida, cuando en realidad a don Raimundo quienes le gustaban a morir eran los hombres. Un día la puta explotó, comenzó a llamarle maricón a gritos en la plaza y se fugó con el chofer, al que también don Raimundo mantenía. ¿Crees que la vida es ahora distinta? No, es igual. También ahora se alquilan a buen precio personas para que nos disfracen y engañen a los demás pronunciando panegíricos, cuanto más sonoros y vacíos mejor. De vez en cuando la puta se cansa y revienta, se marcha, y todo sigue igual aunque esté invadido por nombres y discursos que parecen distintos.

Estaba oyendo a un Francisco distinto, con una amargura que le desconocía. Tal vez fuera que, de repente, se le había presentado su vejez sin ninguna piedad, presionándole con un pasado irrecuperable cuya caducidad le negaba cualquier intento de recuperar los días con la imaginación.

Puede que se tratara de eso, de las definitivas despedidas de sí mismo que abastece la vejez. Pero mi caso era muy distinto. Mi caso era lamentar que Blanca me tomara sin la sorpresa de un reencuentro; que me hiciera sentir el pasado como algo fuera de nosotros tal como si compartiéramos una hoja de almanaque que sucedía a la del día anterior sin otra vida que la de unos dedos que arrancaban por viejo el ayer para entregarse al goce pasajero de hoy. Sin crear realmente una palabra en la que poder sujetarnos contra el viento.

Francisco permanecía mudo, dejaba la palabra al silencio de la nada. No quería incorporarlo a una vida en la que continuamente estábamos formando la comodidad de los tópicos para evitarnos pensar y discurrir. Se alquilaba a un crítico u orate para que definiera y programara un color, un mensaje o una obra y se creaba el tópico para que todos repitieran con su vocación de simios las excelencias de ese color, mensaje u obra. Así la vida era más fácil, más cómoda, hasta que cada cierto tiempo alguien tocaba las cuerdas de la rebelión. Me detuve porque me vi usando las palabras amargas de Francisco. Temí que, si hablaba, mi voz tuviera el mismo sonido de su voz al estar confeccionados por un común orate.

—Y no lo estamos —casi grité—. Simplemente quiero oponerme a la acomodación de Blanca.

—Es posible que no sea acomodarse sino vivir el desengaño —me corrigió—. Estar ya conducidos por la acedia o la apatía de saber que nada cambiará.

Y fue aquí donde de pronto me preguntó:

—¿Tú has plantado algún árbol?

—Sí —le respondí raudo—, he plantado varios. ¿Por qué?

—Allá en la escuela —me explicó—, el maestro, don Florencio, nos decía que para realizarse en la vida se debía plantar un árbol, tener un hijo y escribir un libro. Yo sólo cumplí lo primero, allá en los campos de Tebar.

—Tampoco yo tuve un hijo o escribí un libro.

—Pero aún es posible que escribas un libro en el que quieras existir y en el que quizás aparezca yo. Me gustaría.

Se calló y me acercó su mirada como si con ella me extendiera el ruego de una petición.

—Pero espero —agregó— que si me haces hablar lo hagas con tus palabras, no con la ordinariez y repetición con la que yo me expreso, donde continuamente estoy diciendo puta vida, puto negocio, puto cabrón, etcétera. O jodida vida, jodido gobierno, jodidos impuestos y así.

Sonreí y me llenó de vanidad que Francisco me propusiera la idea de transformarlo en personaje haciéndole hablar fuera de la pobreza y reiteración de modismos que habitualmente empleábamos. Sí, he de confesar que me halagó la ingenua fe con la que Francisco suponía que yo pudiera escribir un libro por cuyas páginas él se paseara. La verdad es que en algunas noches, midiendo las horas de la soledad junto al mar, tuve tentaciones de escribir sobre mi persecución del olvido y mi lucha por desvencijar la memoria. Recordaba entonces para animarme mi lectura de aquellos folletos turísticos que repartíamos para tentar clientes. Recordaba, por ejemplo, que ciudades como Roma tenían presente que en ella murió y fue enterrado John Keats al igual que muy cerca estaba también la tumba de Shelley, y me entristecía tontamente admitir que ninguna ciudad o pueblo me recordaría en sus calles o en una lápida como aún se hacía en Roma con esos poetas románticos ingleses.

Habíamos regresado desde el chiringuito a nuestro banco de siempre en la glorieta. Creo que entonces miré fijamente hacia el espacio en el que estuvo la familiar farmacia de don Francisco Moreno queriendo dibujarla con la imaginación por aquellos años en los que yo corría despreocupado de negocios y ocios. Me guardaba en el silencio para que nada perturbara lo que la imaginación construía. Incluso le hubiera pedido a Francisco que no respirara. Pero era inútil, no lograba hallar el color con el que estaba pintando la farmacia ni siquiera si existía anunciándola un letrero luminoso. Sí, en cambio, acudía el nombre de botica que aún el pueblo usaba para llamarla.

Era extraño el verano de aquel año. A veces el intenso calor se adentraba en el mar encendiendo hogueras en su fondo para que flotasen las medusas hasta invadir la arena. Otras veces, las menos, el calor olvidaba la estación a la que se debía y teníamos que hacer uso de los jerséis. Notaba en mis ojos la pereza y me dirigí a Francisco pretendiendo disculparme por haberlo privado de siesta.

—Hace ya años —me aclaró— que no duermo siesta porque luego, a la noche, me pasaba horas y horas desvelado, asustándome los recuerdos y pensamientos. Me sacudía la idea de no haber hecho nada en la vida y me daba por buscar algo que hacer para justificarme ante mis vecinos. Pero daba vueltas y vueltas en la cama sin hallar nada que me contentara con un proyecto. Realmente, a mi edad ¡qué coño podía emprender! Ya por la mañana, con el día, aceptaba mi situación y me decía que con conservarme en la vida sin ser una carga para nadie cumplía bastante y de sobra con el mundo. Cogía mi cayado y a caminar otra vez la misma senda. No, no quiero entregarme a la siesta.

Conforme hablaba iba recibiendo cada una de sus

palabras como un reproche a mi egoísmo. Tampoco yo había realizado nada en la vida que pudiera conservarme en alguna esquina y me había mostrado falto de auténtica simpatía hacia Francisco. No fui capaz de imaginar que ya iba contando los días con la emotividad de las despedidas. O quizás no fuera así y ampliara los días recreándolos en el pasado y aportándoles alegría, diciéndose que no existía más historia que aquella que uno era capaz de construirse en su mente, haciéndose único habitante de ella.

Vi alejarse a Francisco apoyando sus pasos en el cayado. Me di cuenta, después de tanto tiempo, de que su espalda se había inclinado tal vez cansada de soportar los días sin sentido. Unos años más y también yo caminaría encorvado por el peso del vacío que me procuraba. Creo que esta sensación de ir a poblar lo inevitable me obligó a reaccionar. Tenía cerca el presente de Blanca para desarbolar con ella el pesimismo que me había procurado el ejercicio de olvidar mi matrimonio. Pensé que tenía que agarrarme a la juventud que aún ofrecía Blanca y habitar un presente descolgado del tiempo como ella y sus amigos compartían, según me insinuó el bueno de Francisco.

Aparqué el coche cerca de la terraza de El Balneario en donde había quedado con Blanca. Saqué al perro para que corriera por la arena y se extrañó un poco del ruido y el movimiento que mostraba la civilización. Estuvo unos minutos detenido, observando desconcertado y no sé si con tentaciones de huir a las colinas. Me gustó que me mirara y viniera a cobijarse entre mis piernas. Para el perro yo era alguien y me incliné sobre él acariciándolo. Entonces, sin dejar de agitar velozmente su rabo, cobró confianza y fue a correr por la arena incorporándose a la vida. Aquello tan simple, tan normal, me llenó de ánimos y ya no me importó que mi modesto utilitario se encogiese ante los descapotables y deportivos automóviles que disfrutaban Blanca y sus amigos. Pensé, y me reí, que ninguno de ellos tendría imaginación para establecer una identidad entre las colinas y la vida para crear una metáfora.

Llegó Blanca y el perro acertó a oler que ella y yo habíamos compartido la afición canina años atrás.

—¿Y esto? —lo señaló complacida.

—Es el perro que se encontró perdido mi amigo Lázaro, el que paseaba enlutado las colinas. Se ha marchado y me lo dejó en herencia.

—Es muy simpático —afirmó sin dejar de acariciarlo.

No tenía dudas, pero me alegró mucho que Blanca y el perro se apreciaran mutuamente. Fue como si un viento huracanado se hubiese llevado los infinitos días y retornara cualquier tarde de aquellas en las que Blanca y yo montábamos en la piragua a nuestro perro e íbamos a bañarnos lejos, muy lejos, donde el castillo escindía la costa en zonas de levante y poniente acorde con el aire.

—Te siguen gustando los perros, ¿verdad?

—Sí, como siempre —me respondió.

—En eso es como antes, no hemos cambiado.

Alzó la cabeza y me miró con un aire acusador. Me sostuvo la mirada algún tiempo afirmándome en ella que yo no tenía ningún derecho a suponer que ahora fuera una Blanca distinta. Sobre todo después de la tarde anterior en la que habíamos estado unidos con un ardor que pretendía borrar nuestros muchos días de separación.

Intenté expresarle con una sonrisa que la amaba exactamente igual que cuando por cobardía me alejé de ella y del pueblo buscando hacerme con una posición económica que me permitiera mirar a su familia sin miedos. Quise expresárselo en la mirada, en la que Blanca afirmaba antes que era fácil leer, pero no hallé su respuesta y temí que posiblemente tuviera mis ojos atascados en la opacidad de la duda que había alimentado un poco antes al lado de Francisco. Acudí al sonido de la voz:

—¿No tienes ahora ningún perro?

—No —respondió—. Cuando murió mi padre di el que teníamos, un pastor alemán precioso. No podía soportar que se pasara todo el día buscando a mi padre, llamándolo por toda la casa y el jardín. Se lo llevaron a la finca que teníamos y creo que se escapó sin que volviéramos a saber de él. Al menos, es lo que me dijeron, y no quiero pensar en otra cosa.

Caminábamos hacia su casa, con el perro delante de nosotros intentando averiguar hacia dónde iríamos. Al mirar nuevamente la casa me pareció más grande y más fría. Aunque sea desde fuera, las casas denuncian a veces si las habita la soledad, la alegría, la frialdad o el calor humano. La casa de Blanca me parecía un alarde del constructor. Sin embargo, una esquina del edificio la habían achaflanado para construir un mirador cuyas ventanas ojivales me recordaron los huecos góticos del pasado. Posiblemente fuera un pegote arquitectónico, un alarde de la pedantería del constructor a la que fue obediente el arquitecto, pero me agradó ver aquel recuerdo de antigüedad en medio de edificios y edificios planos que proclamaban homogéneamente la facilidad en hollar la tierra que tuvieron los constructores de inmuebles.

La verdad es que me encontraba cansado, propenso a buscar defectos y alimentar dudas. Subimos al piso y sentía el calor recogido en las primeras horas de la tarde. Era una torpeza no recogerse en la siesta.

—¿Te extrañará si te pido que me dejes ducharme? Noto el calor pegado a mi piel.

—Aquí —me señaló Blanca—, indicándome la puerta del cuarto de baño.

—No tardo nada —expresé como disculpa.

Mientras me duchaba recreaba la imagen de un montón de periódicos que descansaban, con sus fajas de envío sin abrir, en una mesa de la entrada. Blanca, sin preguntarle, me había aclarado:

—Mi padre estaba suscrito a varios periódicos. Naturalmente, no los leía. Por la dejadez de no indicar que cese la suscripción siguen llegando, como si se tratara de una herencia. Porque tampoco yo los leo mucho.

—Ya —sonreí recordando la alergia que una parte de la juventud tenía a la prensa.

Después de la ducha me sentía nuevo, despejado, seguro de haber dejado la modorra tirada en el suelo del baño. Me acerqué a Blanca bajo el impulso de abrazarla y abandonar con su contacto las confusas ideas que me habían sacudido en la mañana. Pero ella, suavemente, me indicó el camino del mirador.

—¿Sigues tan aficionado al café? —me preguntó cariñosamente.

Estábamos sentados en el mirador, cercados por la visión del mar y frente a una mesa en la que Blanca había preparado la merienda. Percibí que todo encajaba en una vida distinta a la que habíamos compartido y fue como si de pronto comenzaran a caer sobre nosotros los años que vivimos separados pintándonos facciones desconocidas. No podía negarse que el tiempo existía y manejaba un pincel impío. Quise orillarlo:

—¿Te acuerdas —le pregunté— cuando merendábamos con una lata de mejillones en la falda del castillo?

Blanca me miró displicente, acusándome con caridad de que estuviera resucitando un pasado que la historia aplastó dejándolo sin memoria. Pero yo sí cultivaba la memoria, la tenía prendida a mi voluntad después de haber seleccionado sus días en mis noches de la playa buscando qué enterrar en el total olvido. Insistí:

—Recuerdo que fue allí, junto al castillo, cuando te besé por vez primera y tú temblabas, ya no sé si de miedo o de amor.

—De eso hace mucho tiempo.

—Sí —acepté—, pero también en el tiempo se siembra y debemos aprender a recoger.

Esta vez me miró con mayor gravedad. Leí en sus ojos que me estaba acusando de habitar una prehistoria que ya había sido barrida por varias generaciones surgidas en el desengaño de haber tenido que enterrar ilusiones y creencias.

—¿Quieres más café? —me invitó.

Y yo extendí la taza aceptando y diciéndome que quizás permaneciera estancado a las puertas de un mundo que ya no entendía, que tal vez hubiera que caminar vacío para asegurarse la posibilidad de flotar con el más discreto aire que corriera. Sí, tal vez fuera eso lo más práctico, no querer entender nada y trepar y trepar con la audacia que proporciona la ignorancia.

Contemplaba frente a mí a Blanca y me decía que ella no podía tener ninguna relación con mi recién cobrada idea de abandonar la curiosidad de entender el mundo. Era lógico que un sentido práctico de la vida aconsejara despreocuparse de ese mundo grande y perdido para afiliarse a cualquier grupo o partido con el que medrar rápidamente en cuanto el grupo ganara unas elecciones u oposiciones. Me lo afirmaba un antiguo compañero de la agencia que me dejó solo para que yo proyectara itinerarios turísticos y concertara hospedaje con hoteles mientras él, afiliado a un grupo y a la ignorancia, iba escalando puestos que una oficialidad mantendría.

Creo que entonces una convulsión de asco me hizo reaccionar e intenté justificarme:

—Me ha entrado de pronto frío.

—¿Quieres que apague el aire? —ofreció Blanca.

—No, no, no es necesario —dije rápidamente.

Registré las paredes de la habitación, la decoración del mirador, culpándolos. Estaba seguro de que la declaración de poder económico que desprendían me había llevado al recuerdo del compañero de agencia y a pensarme nuevamente como un fracasado ante un mundo que me era ajeno. Creo que había tomado demasiado sol y sentía su huella en mis ojos formando unos corpúsculos rojos. La figura de Blanca, que continuaba frente a mí, iba difuminando su contorno. Entonces, esquivándola, regresé la mirada a la pared. Tuve la sensación visual de que el lienzo de la sala había sido decorado con la incrustación de miles de monedas doradas que ocultaban todo pronunciamiento del blanco. Me restregué los ojos en un intento de borrar aquella imagen compulsiva. No era posible que alguien hubiera tenido el mal gusto de manchar así una pared para que reverberara en ella la luz.

—No, no es posible —expresé.

—¿Qué no es posible? —inquirió Blanca.

—¿Quién te decoró la casa? —respondí evasivo.

—Un decorador de Valencia que había trabajado para mi padre en otras construcciones. ¿Por qué? ¿No te gusta?

—Sí, tiene personalidad. Un poco fría, distante, quizás. O más bien que necesita ser manchada por ti, sentir el calor de habitarla. Me parece que todo está un poco lejano y ordenado.

—No te gusta, ¿verdad? —concluyó.

—Bueno, no es eso —me defendí—, es que, simplemente, no logro verte en la casa, saber por ella cuál es tu color u olor preferido, el rincón desde el que miras o donde te recoges.

—Sí. Algo de razón debes llevar, porque Valeria me dice algo parecido.

Lo que no me atrevía a denunciar es que en la casa, a veces, me sentía como alguien al que las paredes le acusaban de menesteroso. Parecía que don Máximo, su padre, paseara orgulloso de haberle ofrecido aquella construcción a Blanca en contraste con la casa de la playa cayéndose que yo habitaba y que ni siquiera era mía.

—He pensado —expresé desafiante— que podríamos pasar uno o dos días en el cortijo habitado en el que vivía Lázaro. Les dije a los cortijeros que cualquier día los visitaríamos. Y de paso te mostraré el hogar que tuve desde que llegué al pueblo. Es un paraje al que le he tomado cariño y en el que un día, inesperadamente, apareciste tú invadiendo mis recuerdos.

Blanca me miró y no acerté a saber si en sus ojos se leía sorpresa o desaprobación. Intenté que hubiera mudanza en su mirada:

—En esa casa prestada de la playa logré que con los días se amasara el olvido, como pretendía, y me ayudó un poco la visión de un hombre enlutado que caminaba las colinas, al que quise unirle absurdamente una leyenda que me contó Francisco. Así iba desalojando de la memoria el fracaso de mi matrimonio cuando...

—¿Comías bastante en esos días? —me interrumpió con cierta ironía.

—Sí, comía bastante; no estaba volviéndome loco atacado por la debilidad.

—Ya —sonrió—. Aunque no es nada extraño en ti fantasear. Recuerdo que antes veías a una persona desconocida algo pintoresca y te ponías a imaginar cosas más o menos raras de ella.

—Me alegra que recuerdes el pasado, pero ahora, en mi casa de la playa, se trataba de algo muy distinto. Estaba tan solo que iba olvidándome del sonido de las palabras. Cuando descubrí a Lázaro en las colinas sentí que descubría otro ser humano con el que compartir las palabras. Es cierto que durante un tiempo lo asocié con una leyenda. Luego internamente lo aprecié como el tentador ofrecimiento para componer una metáfora de la vida que me expresara.

—¿Y has compuesto esa metáfora? —se burló.

—No, no he logrado identificar con la imaginación dos términos tan distintos como la colina y la vida, según mi experiencia. No es tan fácil trasvasar una palabra de su significado a otro que no le es propio. Decir que los dientes son perlas le fue fácil a la imaginación de un poeta, no a mí.

Recordé entonces que cuando éramos jóvenes de vez en cuando ataba metáforas referidas al cuerpo o al rostro de Blanca, posiblemente alguna de ellas deudora de la literatura. Las había olvidado al llevarlas al campo de la plena realidad cotidiana, supongo que al considerarlas fruto de la cursilería. No sé, ahora me parecía ridículo que intentara recordar metáforas cuando comenzaba a temer que me faltaran días para recuperar el pasado que anhelaba.

Le señalé a Blanca que su elegante automóvil podría escandalizar la reciedumbre de los cortijeros, sonrió escéptica, y nos fuimos con el perro hacia las colinas. Estaba seguro de que a Blanca le gustaría conocer la casa de la playa que habitaba, por ruinosa que se presentara. Creía que a las mujeres, o a gran parte de ellas, les gustaba conocer la casa, el colegio, la familia que pertenecían al hombre que amaban. Era curiosear y reconocer aspectos de una intimidad que no tuvieron y que en algo se apropiaban restándosela a otros.

Así que detuve el coche en la proximidad de la playa y salimos. El primero, el perro que corrió rápido a husmear sus espacios conquistados. En el porche, lo reconocí con tristeza, estaba la vieja butaca de enea en la que me sentaba por las noches, frente al mar, para distraer soledades. Imaginé a la butaca herida en su sensibilidad porque pronto la abandonaría y se quedaría allí a la espera de que el aire y el salitre la desvencijaran. Era una tontería, pero me dio pena y hubiera deseado saber quién fue su primer dueño y cómo lentamente el tiempo la degradó hasta llegar a mí, sin fuerza ni poder para sostenerla. Blanca quizás lo presintiera y me preguntó:

—¿Te dará pena abandonar esta casa?

—Sí —respondí—, siempre apena abandonar algo que nos compartió. No sólo nos vamos quedando en los seres, también en las cosas nos despedimos de nosotros mismos.

—Antes no eras así, no pensabas en tales despedidas.

—Antes tenía veinte años, te tenía a ti. Era tan insensato que creía contener al mundo y que el mundo me contenía. Ni siquiera podía imaginar que la muerte fuera una realidad que podía tocarme, a pesar de que en casa nos visitó y aprecié la escenificación que requería su llegada.

—¿Y ahora?

—Ahora ya sé que la muerte está aquí con nosotros y al igual que nosotros mira las colinas y el mar como territorio propio. Y creo que respira a nuestro lado, aunque la mayoría de la gente está agarrada fuertemente al presente que vive y en el que se vacía para que no le roce ningún tiempo. Pero aunque lo olvidemos seguimos caminando con la muerte.

—¿Eso pensabas aquí en el porche oyendo al mar?

—No, por supuesto que no. Si hubiera sido así no habrías llegado nunca.

—¿Y cómo llegué?

—Cuando alcanzado el olvido comencé a respirar otra vida que ansiaba reencontrar. Incluso iba al pueblo en una búsqueda de la casa en la que había nacido, que sabía que estaba en la glorieta. Pero no he podido saber qué casa fue, me es desconocida. No quiero investigar en los papeles. Me siento en un banco, acompañado de Francisco, y espero que una nota del aire o un golpe de melancolía, algo, me descubra la casa en la que nací e incluso la habitación en la que proferí mi primer grito. ¿Ves qué antiguo soy? Ya casi todo el mundo nace en sanatorios u hospitales, casi nadie en su casa.

Estaban envolviéndome en el pasado mis propias palabras y yo quería mostrarle las colinas desde el mar, señalándole aquellas gibas donde una mañana descubrí a Lázaro y cómo al fin ascendí hasta poder hablarle.

—Esta playa —señalé— está llena de rocas, lapas y cangrejos.

—Como lo están las del otro extremo de la costa.

—Pero aquí —distinguí— no hay erizos que te claven sus púas.

—También allí van desapareciendo, es raro verlos.

Finalmente, atraje a Blanca junto a mí y comencé a señalarle las colinas, el camino que Lázaro hacía en las mañanas antes de que el sol le hiciera esconderse bajo algún árbol o saliente de las laderas. Apenas levanté el brazo indicador el perro se movió inquieto y emitió un sonido de cariño. Pero esta vez no corrió hacia la cima sino que me observó como queriendo cerciorarse de si yo sería capaz de lograr que Lázaro apareciera y él pudiera alcanzarlo.

—Se acuerda de Lázaro, de su amo —afirmé.

Me incliné y comencé a acariciarlo. Me gustó que también Blanca comenzara a prodigarle caricias y, sobre todo, palabras. Supe que los tres formábamos un pequeño mundo insignificante, despreciable para cualquier subasta e impensable para gozar del festejo de una página financiera. Ni siquiera serviríamos para darle alimento a los peces cercanos o a las gaviotas que comenzaban a sobrevolarnos en busca del rastro de los barcos. Pero no obstante éramos un mundo, lo constituíamos, y no escuchábamos voces autoritarias que nos prohibieran o adoctrinaran lo que el aburrimiento les dictara. Éramos un pequeño mundo, como aquel que comenzó a existir cuando aún los caminos no estaban llenos de letreros y era posible admirar el nacimiento de la lluvia o de las colinas, el sonido del mar y el ulular del viento entre las rocas. Cuando en el horizonte estaba escrita la palabra libertad y no era una falacia.

Ascendíamos por la colina camino del cortijo y el perro festejaba que hubiésemos escogido ese trayecto y no el de la carretera que partía del pueblo. Hacía esfuerzos por disimular que me pesaba vencer la pendiente. Pensé que me había vaciado tanto para que penetrara el olvido que el hueco del tiempo expulsado lo ocupó la llegada de los años. Porque no era únicamente que me fatigara físicamente ascender sino que percibía que la alegría de reencontrarme con Blanca estaba perseguida por presagios que nublaban la luminosidad de la actualidad. Blanca me hablaba animadamente, con el perro brincando a su lado, y yo asentía ocultando la voz para no declarar la fatiga. Los tres, el pequeño mundo que éramos, estábamos ya en lo más alto de la colina y desde ahí nos volvimos queriendo acariciar con la mirada el azul serenado del mar. Blanca exclamó algo sobre la vida que no capté y que, tras caminar otro poco, creo que era algo así como una protesta de que nos hubieran privado de poder creer que existía el futuro. Cuando descendíamos por la ladera que mira a la rambla, sí entendí claramente que Blanca afirmaba:

—El futuro no es nada, no existe. Cuando el mañana intente respirar como futuro ya no existirá, será un presente. Todo es la actualidad, este momento.

¿Por qué pronunciaba ahora esas frases? No podía entenderla. Daba la impresión de que creía firmemente en lo que decía y que, al mismo tiempo, maldecía tener que reconocerlo. O tal vez fuera más allá y maldijera la situación o las personas que la habían persuadido de que el futuro no existía.

Estábamos junto a un arbusto crecido cuyas raíces soñaban con asir la respiración húmeda de la rambla. Desde allí, donde una vez Lázaro y yo habíamos platicado sobre algo perdido, se veía ya el cortijo. Blanca hizo ademán de que nos sentáramos. Creo que intentó buscar si mis ojos aún guardaban recuerdos del pasado compartido y señaló:

—En un pasado, muchísimo más lejano que el nuestro, existió un ilustre romano del que no recuerdo el nombre, que en tiempos del emperador Augusto logró levantarle una estatua a César, como vencedor en el futuro de Roma. Pero apenas pasaron unos años, llegó otro romano de fuertes ideas republicanas y demolió la estatua de César para levantar en su lugar una del Marco Junio Bruto que participó en la conjura contra César y acabó suicidándose al caer sobre su espada. ¿Cuál de esas estatuas representaba la inmortalidad en el futuro y su habitarlo? En cuanto que el futuro avanza por su conquistado presente lucha con la vesania o la admiración de una actualidad que lo zarandea levantando o derribando estatuas. No, no creo que se pueda confiar en el futuro, no existe más que en el capricho de un presente que juega con la ignorancia para fabricar un pasado.

No opiné nada. Continuaba sin comprender a Blanca e imaginé que aquellas citas de César y Bruto pertenecían a alguna lección que exaltaba el disfrute o entrega al presente porque, como decía el cantar italiano, «*di doman non c'è certezza*». De pronto me sugirió el nombre de su amiga Valeria.

—Deberías hablar con ella. Estudió en Barcelona y luego amplió estudios en París. O visitó países como Cuba. No se quedó estancada como nos ocurrió a tantos. Ella me explicó lo que te he contado de las estatuas romanas.

Tampoco podía situar en mi trayectoria por qué o de qué debería hablar con Valeria. Imaginé que de su estancia en París se habría traído Valeria unos conceptos de libertad que la habían liberado del matrimonio, del pertenecer a alguien. Pero quizás fuera muy distinto, no tenía conocimiento de nada para poder opinar, aunque recordaba que el bueno de Francisco se había referido a ella con cierto tono despectivo. Entonces se me ocurrió decir, aunque no lo hice, que era probable que a Valeria le viniera bien saber de los cortijeros, aprender de ellos a seguir el tiempo como si caminaran un río de curso vario que abocaba en la muerte. De ese modo había certeza del mañana y no desesperaba intuir su llegada; se recibía al igual que la oscuridad de la noche cuando se apaga el día.

Al final de la trocha caminada advertimos el movimiento de tres albañiles, un oficial y dos peones, en la puerta del cortijo. Preparaban la mezcla de arena y cemento para enlosar en el interior. Nos observaron sin abandonar la tarea y respondieron a nuestra parca salutación. Casi al sonido de nuestras voces respondió con su presencia Leocadia, la hija del cortijero que los rondadores llamaban Leo. La saludé e intenté presentarle a Blanca. La verdad es que miraba y registraba a Blanca con tal intensidad que dudo que escuchara mis palabras. La examinaba queriendo comprender qué elementos de atracción había visto yo en Blanca para hacerla mi pareja. Era tan descarado aquel registrar con la mirada de Leocadia que ni siquiera puedo recordar si pronunció alguna frase. Sé que yo me adelanté y propuse que pasáramos al zaguán porque también los albañiles comenzaban a participar de la escena.

Leocadia me anunció que nos daría una habitación contigua a la que había ocupado Lázaro y que gozaba de una vista casi completa del espacio en el que las colinas comenzaban a levantar su altura para obligar a la rambla a demorar sus ansias de llegar al mar. Me asomé al balconcillo de la habitación y contemplé nuevamente la rambla, que me pareció más que nunca el esqueleto de un río al que se habían dejado olvidado en su marcha los habitantes de alguna lejana civilización. Quizás por ello, a la izquierda, más arriba, se descubría un barranco de paredes verticales donde vibraban hilos de agua salobre que nutrían una vegetación nostálgica que jugaba a soñar minicascadas que daban de beber a unas cuantas palmeras y arbustos espinosos visitados por aves y roedores. No era difícil leer que el dibujo de aquel pequeño oasis era un trozo de historia que se había salvado del olvido del río que tuvo una civilización al huir.

Blanca permanecía en la cama, envuelta en la siesta, y yo descendí al zaguán, en el que estaba Leocadia. Me ofreció una taza de café calculando que me vendría bien despertarme.

—Mi padre —dijo de pronto— preñó a dos mujeres más allá de Puente Tebano, en el confín.

Busqué en sus ojos algún signo que me ayudara a vencer la sorpresa que me produjo su revelación, pero no acerté a descubrir ninguna guía. Se mantenía segura, como si hubiera dicho «mi padre se bebió esta mañana dos vasos de vino».

—Fue —añadió— hará unos tres años. Ni siquiera sé cómo se llamaban.

—¿Eso te lo contó él? —quise opinar.

—Sí. Una tarde me explicó que se dijo para sí: «Raimundo, ya llevas demasiado tiempo sin catar ninguna mujer y eso no es bueno.» Se dijo tal cosa y se marchó a Puente Tebano a probar suerte.

—Y la probó por partida doble —completé.

—No, no, fue en días sucesivos: primero una y después de un tiempo la otra. Ni una sola vez mentó sus nombres, que a lo mejor los ignoraba.

—¿Y las dos eran de Puente Tebano?

—Ni él ni yo lo sabemos. Pero debió tomarle gusto

a reengancharse porque no pasó mucho tiempo y se fue a la sierra y se trajo a la Bernarda.

Me quedé observándola y creí oportuno preguntarle:

—¿Por qué me cuentas ahora estas cosas de tu padre?

—Porque no quiero que nos tomen por unos patanes. Mi padre tiene buenas relaciones en Puente Tebano. Y yo...

—¿Sí? —la animé.

—Yo también entregué mi virginidad hace tiempo en el pueblo. Lo que sucede es que luego no tuve suerte porque los hombres sois muy vuestros.

—Ya —manifesté comprender.

—El caso es que pretendía —insistió— que no nos tomaras por unos cavernícolas encerrados entre estas paredes. Estamos también en la vida, en lo que ahora se cuece.

—Lo sé —la consolé—, estoy seguro de ello.

—¿Quieres otro café? —me ofreció.

—No, ya me desperté —agradecí.

Y Leocadia se marchó a explorar la vida en no sé qué otro punto de la casa.

Atareado con mi responsabilidad en la agencia era probable que desconociera el progreso del mundo y su manera de expresarse. Pero no entendía mucho la necesidad de Leocadia en manifestarme los amores de su padre al igual que me extrañaba que dos muchachas se besaran apretadamente en la boca mientras esperábamos el autobús. Se conoce que había perdido el rumbo de unos años en los que éstos aceleraron su discurrir. Posiblemente media humanidad se hubiera incorporado a una vida distinta y yo no lo había percibido. En esa meditación me hallaba cuando se presentó Bernarda, entonando feliz una canción. No pareció que mi presencia le molestara lo más mínimo.

—¿Qué les gustaría comer mañana? —me preguntó.

—No sé, lo que quiera.

Era realmente una hembra hermosa, como diría Raimundo. Una mujer satisfecha que si alguna vez enfermaba pensaría que era otro ser distinto disfrazado de Bernarda. Estaba tan en ella misma que no creo que aún acertara a comprender su enlace con Raimundo, la terra en la que se había metido. O tal vez sí le diera lo mismo. Sonreí al imaginar lo que habría sido una conversación con Lázaro, si ello se produjo.

—¿Qué le parecía mi amigo Lázaro? —le pregunté.

—Buena gente. Hablaba poco, pero buena gente. Se metía en su cuarto a callarse o se sentaba ahí con un libro en la mano. Raimundo le preguntaba algo y él contestaba cosas que yo no entendía. Con Leocadia parecía encontrarse más cómodo. Ella hasta le hablaba de sus amores en el pueblo, cuando los hombres la llamaban Leo. ¿Eran ustedes muy amigos?

—Sí, nos hicimos amigos paseando por las colinas.

—Usted parece más dicharachero, como uno con el que yo hablaba en mi pueblo unos años antes de que llegara mi Raimundo.

Me levanté de la silla y me acerqué a la puerta a ver el trabajo de los albañiles. El maestro y uno de los peones estaban dentro enlosando y el que seguía allí echaba agua con un cubo en el centro de la mezcla e iba revolviéndola. Tenía todo el aspecto de ser marroquí, llegado del hambre. Estuve observándolo brevemente, lo saludé y me fui hacia el extremo de la casa, hacia donde un poco más allá caía el terreno verticalmente en busca de la seca rambla.

Por la cara de las colinas que veía se conformaba una ladera más suave frente al lado que se ofrecía al mar, mucho más abrupto, al que parecía que el viento le había trazado su aspereza sembrándole oquedades. Desde la parte en la que estaba se me antojaba más humana la colina, más propicia a ser visitada. Quizás la historia limándose las uñas en aquellas montañas hubiera querido anunciarnos una metáfora de la vida, con su trabajoso ascenderla y el descenso rápido por el lado escarpado en el que era fácil perderse.

Después de cenar estuvimos un rato en el zaguán viendo la televisión en familia. Me fijé en que Leo cruzaba las piernas imitando a las modelos y que la buena de Bernarda respiraba resoplando para airear la cena. Raimundo, al que tenía al lado, me explicó:

—La próxima vez que vengan ya estará todo arreglado. Ahora ni siquiera tengo redactada la petición de apertura en turismo. Son cosas que lleva mi hija, Leo, que es instruida.

A pesar de que el buen tiempo ayudaba a secar las paredes, nuestra habitación olía a yeso. Nos salimos al balconcillo. Era una noche espléndida, con tanta luminosidad que se diría que la luna traspasaba los obstáculos para deshacer las sombras. Rodeé a Blanca con mi brazo.

—Esta tarde, sin venir a cuento, Leocadia me estuvo exponiendo que su padre había preñado a dos en Puente Tebano. Y luego me precisó que ella perdió la virginidad en el pueblo hace tiempo.

—Ya —asintió con normalidad—. ¿Y qué más?

—A mí sí me extrañaron esas confesiones y le pregunté la razón de que me las comunicara.

—¿Y te respondió?

—Sí, me dijo que no quería que los tomáramos por

unos cavernícolas; ésa fue la palabra que empleó: cavernícola. Aún entendí menos.

—¿Y no seguiste preguntando?

—¿Para qué? No me sorprendió lo que me contó sino en función de qué lo hacía.

—Te lo dijo bien claro: para que no los tomáramos por cavernícolas. A su manera quería decirnos que eran igual que nosotros, que compartíamos la misma actualidad y sentíamos u obrábamos lo mismo.

—¿Y es así?

—Sí, me parece que sí, que el correr del tiempo con su manifestación va igualándonos. ¿Crees que hace unos veinte años hubiera podido venir aquí contigo a pasar una noche? Es lo que intentaba decirte Leocadia. La naturaleza nos iguala.

Atraje a Blanca hacia mí. Me apetecía sentir junto a su voz el calor de su cuerpo protegiéndonos del ligero airecillo de la sierra. Estaríamos todo lo más a uno o dos kilómetros de la casa de la playa y era muy diferente cómo iba extendiéndose el silencio de la noche fecundando la soledad. El sonido monótono de los grillos llamándose, el aleteo de algún mochuelo descubriendo una presa con sus grandes ojos amarillos o el ágil desplazarse de los roedores de campo me expresaban su mundo en oposición al sonido del mar con el que me dormía en la casa de la playa, tras anunciarme si al día siguiente el mar estaría calmo o se levantaría contra las rocas queriendo desplazarlas. Me dije que allí, con los grillos martilleándome en los oídos, no habría podido encontrar el silencio con el que amé la soledad de olvidar a Claudia. Tampoco hubiera sabido recibir mi pasado con Blanca invitándome a vivirlo.

X

No me atreví nunca a preguntarle quién o quiénes sembraron su cuerpo de experiencias. No lo hice, aunque me llamaran los celos, porque creía que era invadir un camino del que un viejo día me había retirado y al que ya no tenía derecho aunque Blanca y yo lo iniciáramos. Sin embargo, esta mañana cuando Blanca me dijo de improviso que debíamos regresar al pueblo, lamenté que jamás le hubiera formulado tal pregunta. Miraba el vacío en la cama dejado por su cuerpo, en el que aún las sábanas marcaban el dibujo de su forma, y extendía hacia ellas mi mano buscando el calor dejado por su piel. Quizás no hubiera sabido acariciarla como antes la cuidaba.

¿Por qué teníamos que abandonar rápidamente el cortijo? Blanca únicamente esgrimió el nombre de Valeria, porque había quedado con ella y lo olvidó. No me parecía argumento suficiente, pero no quise discutir, lo estimé inútil. Sí observé que al perro le había disgustado tanto como a mí aquella salida precipitada. Era lógico que Valeria comenzara a caerme mal y que incluso me inclinara a culparla de haber dejado a Bernarda sin la posibilidad de servirnos su anunciado puchero.

Al pasar de regreso por la casa de la playa estuve a punto de detenerme. Yo no tenía ninguna prisa, había habitado intensamente la casa junto al mar para descontar el tiempo de mi actualidad vivida en Madrid junto a Claudia. Blanca quiso romper el silencio que me dominaba.

—¿Estás enfadado?

—Me parece absurdo haber abandonado así el cortijo —protesté—. Ni siquiera pudimos esperar a que Raimundo regresara del campo y despedirnos.

—Bueno ya volveremos otro día —dijo, por decir.

Tenía totalmente olvidado aquel tiempo en el que alguna vez, no muchas, discutíamos por pequeñas cosas. Pero estaba seguro de que esas veces la voz de Blanca tenía un tono distinto al de ahora. Su voz denunciaba un cierto desinterés bien digerido no ya por la educación sino por la seguridad de que nuestra conversación carecía de importancia y podría sustituirse fácilmente.

—¿Qué te importa en estos momentos? —le pregunté.

—Vivir —me respondió con rapidez.

—¿Vivir con alguien en especial? —insistí.

—Vivir con la vida, conmigo misma. Desde que papá murió decidí que tendría que manejar mi vida de otra manera. Te confesaré que me ayudaron bastante Valeria y los demás amigos. Comenzamos a entender la vida como un don provisional que no debíamos esclavizar por nada y menos por la ingratitud de una edad futura que se nos vendría encima cualquier día.

—Me estás hablando como si pertenecierais a una comuna crecida al margen de las conveniencias sociales.

—Algo así somos para escándalo del pueblo.

—¿Sois todos ricos? —pregunté displicente.

—Sí, tenemos dinero. Pero eso no es lo que más importa.

—Creo que sí importa. Yo no podría pertenecer a vuestro grupo. Carezco de capital para sostenerme sin trabajar.

—Los demás te ayudaríamos —afirmó decidida.

—¿Y crees que tu padre lo admitiría si viviera?

—Papá se equivocó en la elección de su vida. Nunca supo que la vida tira hacia el pasado en cuanto te descuidas y que debemos evitarlo.

—Es posible que sea así, no lo sé. Pero lo que tu padre trabajó en su vida es algo de lo que tú disfrutas hoy en día. La casa donde habitas es un regalo suyo.

—Sí, me dio mucho, pero a cambio de cortarme la libertad con el fin de que yo transitara por el camino que él me iba trazando.

No tenía duda de que la voz de Blanca había cambiado de tono respecto al que yo conocía y tanto amaba. Bajo el sonido de su voz me pareció advertir el matiz agrio de un reproche que me acusaba de cobardía ante la autoridad de su padre distanciándome en el pasado de ella. Incluso parecía culparme de que mi dejación fuera la causa de que a los pocos años contrajera aquel matrimonio que tan mal le fue. Entonces, como si me levantara ante tal suposición, le pregunté por Valeria:

—¿Valeria también se equivocó al casarse?

—Valeria se casó con un sinvergüenza total, una mala persona. Afortunadamente, se escapó a París y luego consiguió la libertad. Es otra. Desde hace tiempo ya no cree en otra realidad que en ella misma, en el grupo que somos.

Estuve tentado, con el coche detenido, de abrazar a Blanca y probar en su boca si nosotros éramos realidad, una realidad acampada hace mucho tiempo y que ahora parecía perderse porque quizás la realidad no existiera sino como algo inventado por un poderío mediático sustentado en la seducción del pragmatismo y la comodidad de la nada. Es posible que estuviéramos viviendo un simulacro de la realidad y que las guerras y muertes que continuamente contábamos o el hambre y el dolor no fueran tales sino lo que unos poderosos medios de comunicación nos ofrecían para distraernos, escenificar el drama y desocuparnos de nosotros mismos, dejándonos gritar de vez en cuando al igual que se deja gritar al gorila encerrado en una jaula. Sí, es posible que fuéramos simios adocenados que amaban el engaño de una realidad creada a beneficio de un mundo global, lo mismo que en un tiempo del pasado se creó el Gran Terror de 1794, y se ejecutó en su nombre, para que todos camináramos en la proclamación de un mundo mejor y más igualatorio.

Estábamos detenidos frente a El Balneario, donde hacía pocos días encontré a Blanca creyéndola la imagen del retorno. Pero ahora me parecía la imagen de una duda difícil de aclarar que negaba su realidad en la medida que todo retorno era posesión del tiempo y el tiempo jamás regresaba. Busqué en los ojos de Blanca algún vestigio del pasado que ansiara vibrar y no me encontraba en su mirada. El perro, en el asiento trasero, dormitaba a la espera de nuestra decisión, que se mantenía perezosa, con temor a proclamarse. Era probable que el perro pensara que habíamos agotado nuestras palabras al igual que él agotaba su ración de pienso diaria. Me acosaba la impresión de que carecíamos de palabras para cubrir con sentido el alargado tiempo en el que Blanca y yo estuvimos separados y caminábamos por el desconocimiento. Y repentinamente afirmó:

—Tal vez el secreto de la vida sea dejarnos seducir. Encontrar un motivo o una persona que nos seduzca y creer en ello.

—¿Cuánto tiempo? —interpuse.

—No sé, todo el tiempo posible. Es necesario sentirse seducido.

—¿Tú lo estás?

—Claro que lo estoy. Me siento seducida por la vida.

—Sí —confirmé—, la vida es una gran seductora y los hay que por ella se transforman en seductores y le usurpan su ofrecimiento con otras realidades.

—No conozco nada que sustituya a la vida ni a nadie que la represente.

—Antes —recordé— no pensabas así.

—Antes ni siquiera imaginé la seducción de la vida.

—Pero la sentías, la amábamos los dos. Hasta que una falaz realidad nos desvió en su provecho.

—¿Qué realidad? —me retó.

—La de alguien que me sedujo con el falso poder del dinero, con la realidad que no podría ofrecerte.

No quisimos avanzar por aquel diálogo en cuyo norte estaba don Máximo, su padre, al que uno y otro deseábamos que habitara el olvido. Así que le pregunté:

—¿No te importará quedarte con el perro?

Se volvió hacia atrás y extendió el brazo hasta acariciar la cabeza del perro:

—No, no me importará, él no tiene culpa de nada.

El coche carecía de aire acondicionado y teníamos las ventanillas abiertas. Oíamos que el mundo continuaba murmurando y hacía calor, un calor húmedo que los de tierra adentro protestaban y que para mí llegaba con pasos de agradable retorno.

—¿Nos vemos esta tarde? —me invitó Blanca.

—Si quieres, aquí mismo, en tu casa.

—Bien, en mi casa —aceptó mientras se bajaba del coche y abría la puerta trasera para que el perro saliera. Estuve viendo cómo caminaban hacia la casa de Blanca sin que uno ni otro se volvieran a mirarme, como si yo me hubiera ganado ya una página del pasado en la que inscribirme.

Todavía la tarde pretendía cobijarse del sol en la glorieta cuando busqué el banco de siempre con la esperanza de que llegara Francisco, el buen anciano que rehusaba poner a sus años en contra mediante los riesgos de la siesta trayéndole deudas. Lo vi llegar colgando sus años de una sonrisa que aún miraba la vida y manejando el rústico cayado para enderezar sus pasos alejados del contar definitivo.

—¿No estabas con Blanca en...?

—Sí —le interrumpí—, pero ella olvidó que tenía hoy una cita y tuvimos que regresar. Esta tarde volveré a ella.

—Ya.

Me pareció que Francisco estaba aburrido. Sentado en el banco apoyó sus manos en el mango del cayado, se inclinó ligeramente y buscó que su frente descansara sobre las manos, dejando que la mirada se perdiera en el enlosado de la glorieta. Creo que hasta entonces no me había fijado en su cabeza, que me recordó la de un senador romano esculpida por la historia.

—¿Tiene sueño? —le pregunté.

—No, no —e irguió su cabeza—, intentaba repasar lo que debía hacer, averiguar si tuve algún motivo para salir de casa. Alguna vez tenía que preguntármelo contra la rutina de hacerlo todos los días.

—¿Y halló el motivo?

—Sí; desgraciadamente, sí: el instinto de vivir o de respirar un poco más la vida que va estrechándose. ¿Piensas que podría tener otro motivo? ¿Fundar un periódico o montar una piscifactoría?

—Y ¿por qué no?

—Por la sencilla razón de que nunca fui ambicioso ni tengo herederos. ¿Tú sí eres ambicioso?

—Me temo que no. Me acomodé a ser un empleado más o menos cualificado de una agencia de turismo y ya está. Ni siquiera aspiré a dirigir una sucursal importante.

—¿Y continúas igual?

—O peor, quizás peor.

—¿No te va bien con Blanca? —pareció intuir.

Me sorprendió un poco que pronunciara el nombre de Blanca, aunque no era improcedente. Sin embargo desoí su cita, carecía en aquellos momentos de argumento para vincularlo al diálogo que sobre la ambición íbamos trazando. Pero al mismo tiempo pensé que a quién podría interesarle si yo tuve o no ambición en la vida. Fue cuando vino en mi ayuda la palabra de Francisco.

—Que yo no fuese ambicioso —me explicó— no era ninguna virtud sino mi preferencia por la comodidad; por ser un gandul, que diría mi abuelo.

—¿Su abuelo le llamaba gandul? —sonreí.

—Sí, me lo llamaba y lo era. Es posible que aún lo sea y por ello invento cosas, sucesos en los que concurren acciones que me evitan a mí el cumplirlas. En alguna ocasión estuve tentado de comunicar con la pluma aventuras extraordinarias, pero no sabía escribirlas y lo dejé. Decidí contármelas a mí mismo o a cualquiera, si alguien estaba dispuesto a escucharme. Como te pasó a ti cuando te conté aquella leyenda de la sima misteriosa de la playa en la que metiste a tu amigo Lázaro.

—Aquello —me defendí— era un simulacro de realidad que necesitaba.

—Siempre se necesita una realidad; por eso es tan fácil ofrecerla. Es como las letras, que son una invención que no existía y que necesitamos para formar palabras, oraciones, e intentar entendernos con ellas. El ser humano es un simulador por esencia y lo que creemos realidad es una manifestación de la capacidad de simular.

Se detuvo unos instantes para observar si yo seguía su discurso y, comprobada en mis ojos la aceptación, prosiguió:

—La historia, con tan largo caminar, ha perfeccionado mucho el inventar realidades para provecho de sus más falaces pergeñadores. Claro está que existen el dolor, el hambre o la muerte, pero sobre esas existencias se forma una inexistente realidad que concita y programa políticas y guerras. Los dioses míticos tuvieron como aguda práctica el engaño y nosotros hemos creado la ficción de la realidad que bien aprovechamos.

Se calló, el buen anciano Francisco guardó silencio como si quisiera recoger sus palabras, que aún flotaban libres en el aire, para introducirlas de nuevo en la caja de su cerebro con el fin de usarlas en otra ocasión. Me parecía increíble el buen discurrir civil de Francisco y creí que acerté al relacionar su cabeza con la de un senador de la antigua Roma, al que el tiempo había respetado salvando realidades. Y le oí excusarse:

—Ya apenas si sé lo que digo. Estoy perdiendo la

memoria e incluso me cuesta designar el nombre de las cosas más corrientes como cuchara, servilleta, anochecer y así. Busco una determinada palabra y no me sale, tardo tiempo en encontrarla o la abandono por imposible.

—También yo voy perdiendo la memoria —me sumé.

—¿Tú? —e hizo un gesto de incredulidad.

—Creo —consideré— que el mucho tiempo que estuve empeñado en olvidar me dejó una oquedad en la memoria, que me obliga a orillar ciertos argumentos. Es verdad que hasta logré olvidar el nombre de mi ex mujer, pero su olvidarla se llevó muchos otros recuerdos.

—Pero ahora sí recuerdas el nombre.

—Sí, ahora que no tiene importancia sí puedo nombrarla a veces: Claudia es su nombre.

—Eso es. Yo en cambio, no recuerdo el nombre de una novia del pueblo vecino que se casó con un fotógrafo y les va muy bien.

—Estoy seguro de que mi casi aceptar la leyenda de la sima y asociar a Lázaro con ella fue una huida mental hacia la edificación de una realidad que desplazara a la vivida con Claudia. Son curiosos los recursos que tiene el cerebro para desplazar u olvidar experiencias.

La tarde, despidiendo en un punto el calor, permitía que pasearan por la glorieta algunas parejas. Era igual que antes, como sucedía hace años. Diría que eran las mismas zagalas, poseedoras de los veinte años, y con el mismo sol tiñéndoles la piel de verano. Alguna de ellas nos miró de pasada a Francisco y a mí. No debíamos parecerle un dúo muy normal conversando en el banco. Busqué recoger de la memoria si algún día Blanca y yo estuvimos paseando así por la glorieta, alejando con nuestros pasos a las palomas. No lo recordaba y me incliné a intentar resucitar en el rostro y caminar de alguna muchacha cómo era Blanca hace tiempo, en aquel otro verano tan distinto en el que yo partí hacia Madrid distanciándonos. Registré varios rostros sin hallar el de Blanca.

—¿Y Blanca? —me preguntó—. ¿Recuperaste de pronto a Blanca en medio de tus prácticas para olvidar?

—Eso es —sonreí—, mi voluntad iba trazando una trayectoria para olvidar y otra inversa para recuperar cuando vivía en el pueblo. En un momento las dos trayectorias se cruzaron y en su interconexión surgió Blanca, la vi perfectamente dominando mis olvidos, y obligándome a buscarla y a decir de ella.

De pronto sucedió que se calmó por completo el ligero vientecillo que alegraba la glorieta y cesaron las palomas y los gorriones en sus menesteres como si todo el espacio quisiera recogerse en el silencio bendiciendo la quietud de una apetecida existencia. Entonces, sin apenas rozar el aire, miré a Francisco con una necesidad de contemplación extraña, análoga a la que me inducía en las noches de la playa a admirar el firmamento y decirme lo pequeño y desconocido que yo era.

¿Quién era, en verdad, aquel anciano a quien yo mismo me atreví a bautizar como Francisco mudándole el nombre? De mis ofrecimientos a los turistas que visitarían Roma, recordé el espléndido fresco de Rafael titulado *La Escuela de Atenas* que celebraba la investigación de la verdad. Era una pintura en la que compartían el mismo momento gentes del pasado y del mundo renacentista presididos por Platón y Aristóteles. Destacaba que habitaran un común espacio e idéntica cronología Epicuro, Pitágoras, Horacio, Virgilio, Dante y contemporáneos de Rafael. Entre ellos había figuras no localizadas que me ofrecían que pudiera imaginar durante unos instantes que una de ellas podía pertenecerle perfectamente a Francisco, a mi amigo Francisco que ahora estaba sentado a mi lado en un banco de la glorieta. Porque, me repetía, ¿quién era en verdad aquel hombre que humildemente me había pedido que al reflejarlo en escritura le prestase mis palabras para vestirlo? ¿Quién era ese hombre que saltaba del fresco a la ficción con el empeño de situar la Atlántida en la península Ibérica? ¿Quién, apoyándose en los egipcios, en su teocracia, podía defender la muerte como un paso natural para continuar viviendo? Miré fijamente a Francisco queriendo certificar que respiraba, que podría levantarse y comenzar a caminar aunque fuera realmente una de aquellas figuras, sin identificar, que el joven Rafael fijó en su fresco de *La Escuela de Atenas* cuando el siglo XVI era joven.

No me atrevía a modular ninguna expresión, seguía absorto mirando a Francisco, gozoso de medirlo como a una realidad de la que esperaba alguna palabra para introducirme en su plano de existencia. Me animé preguntándome si alguien podría negar que junto a Francisco compartían la misma cronología en *La Escuela de Atenas* las personalidades de Platón, Averroes, Virgilio, Dante y otros muchos. Animado por tal vida humanística celebrada reproduje mentalmente el fresco de Leonardo y busqué entre aquellos desconocidos por la erudición si también estaría allí mi amigo Lázaro, descansado ya de su atribulado pasear las colinas. Fue cuando caí en la cuenta de que no podía recordar si habría alguna figura femenina en *La Escuela de Atenas.* Me era imposible localizar en el fresco a Blanca, y pensé que tal vez ella no quiso o no pudo portar el vestido de Aspasia o de Lesbia, tan sabias en el amor.

Busqué apreciar en los ojos de Francisco si se mantenía en vigilia o el sopor de la tarde lo mantenía adormecido. Respondió con viveza a mi duda y yo, convencido de que compartíamos la misma situación y el común pensamiento le confesé:

—Me gustaría que Rafael hubiera tenido en cuenta a Lázaro para el testimonio de *La Escuela de Atenas.*

Francisco hizo prudente ademán de no entenderme y yo le amplié:

—Posiblemente, Lázaro se hubiese situado entre las figuras de Platón y su discípulo Aristóteles. Creo que estuvo entre ellos y que el maldito paso del tiempo lo desplazó a favor de otros filósofos. Aunque pienso que quizás Lázaro sea el que está apostado junto al fuego poético de la belleza que desprenden Virgilio o Dante. No sé, no puedo suponer de memoria en dónde está enmarcado mi amigo Lázaro. Sí lo veo feliz con su habitar ahora una inmutable armonía y un equilibrio clásico, sin recordar para nada el pasado obligado por su madre y hermanas.

Francisco me escuchaba bajo la sensación de que cada una de mis palabras había brotado de un estado febril de la mente que las enviaba desacordes a herir la racionalidad. No protestaba ni decía nada pero advertía tal sensación por la manera vacía de mirarme, desentendido de preguntarme quién era Leonardo o dónde estaba, si es que estaba realmente, *La Escuela de Atenas.* Me llegaba clara, nítidamente, esa sensación suya y, no obstante, yo reconocía que era él quien había provocado en mí toda aquella relación de ideas que tenían un sustrato alegórico. Era algo así como cuando el poeta le decía a la mujer «Poesía eres tú» y la mujer no había abierto la boca ni supo nunca lo que era poesía.

Repentinamente consideré que convenía cambiar de realidad y de sitio, y le pregunté a Francisco:

—¿Usted leyó algo de Marsilio Ficino?

—¿De quién? —repreguntó abriendo los ojos.

—De uno que se encargó de traducir a Platón. Era italiano.

—Jamás he oído ese nombre. A Platón sí, pero de ese Ficino jamás oí palabra. ¿Es alguien importante?

—Bueno, hace ya muchos años que murió. ¿De verdad no salió usted nunca del pueblo?

—Ya te lo dije, salvo el tiempo de la mili jamás me moví de aquí.

—¿Nunca tuvo curiosidad de conocer otros pueblos, otras culturas?

—No, ya basta con nosotros para pelearnos.

Me pareció algo triste, aunque no muy grave, que jamás sus días sintieran la tentación de llegarse a Atenas para orar en la Acrópolis y respirar el aire de Fidias. O que, en más corto viaje no corriera su juventud a escuchar el sonido de los pasos de Juan de la Cruz en su fuga de la cárcel toledana o se extasiara ante el misterio dejado por el Greco en los ojos de «un caballero anciano desconocido» que acaso aún viva. Eran trayectos que yo había recomendado cientos de veces a quienes me pedían itinerarios turísticos de una civilización. Sé que luego busqué por la profundidad de los ojos de Francisco, que se hacían expresión, en qué lado de la realidad se encontraba, superando la ficción en la que nos envolvíamos cotidianamente. Tuve la impresión de que podía leer en él dos realidades: una era aquella que percibía animándome a construirme en historia con el pasado, y la otra realidad era la que escuchaba pidiéndome que, si lo reflejaba en escritura, extrajera de su decir lo que sonaba inadecuado o abrupto, aunque tan de moda estuviera. Porque en su interior él no hablaba así.

En uno u otro caso veía su realidad como la formación de algo que huía de un mundo que, olvidado de pensar, cada día atacaba con mayor atrocidad la convivencia humana, en la que iba siendo difícil proclamarse ciudadano. Francisco debió estimar que ya había vencido el tiempo de permanecer callados y quiso saber de mi actualidad:

—Ya tendrás pronto que abandonar el pueblo, ¿no?

Fue como si de repente cayera sobre mí el hielo de la única realidad, alejada de toda especulación nutrida en la ficción. La realidad que por las mañanas nos abría sus puertas para llevarnos a defender la cotidiana manutención y la realidad que yo tuve escondida bajo las piedras de la casa de la playa o buscando leyendas por el aire de las colinas. Era la cruda e incitadora realidad queriendo abrazarme nuevamente. Quise responderle a Francisco buscando una pausa.

—Desgraciadamente, me queda una semana escasa en el pueblo.

La realidad me acusaba de haber estado viviendo fuera de ella en una casa prestada, desahuciada, que esperaba irse con el mar, donde podría contar una historia habitada de la que yo carecía. Temía aceptar que me esperaba la búsqueda de un apartamento, mi visita a los Bancos, el orden de una vida en la que no había colinas que caminar sino altos edificios que las desbarataron cambiando el diálogo del silencio por el ruido de las ambulancias y la policía sonando las sirenas y las voces de la retórica ensayando sus falsos discursos.

—Me costará —dije— acogerme otra vez a esa vida.

Creo que Francisco me extendió con la mirada su compasión.

—Ahora —añadí— tendré que comenzar casi todo de nuevo. Desde que me separé de mi mujer estuve viviendo en una pensión de Caballero de Gracia, donde tenía cerca diversos restaurantes. Pero ya necesito mudarme a un apartamento y medir en qué condiciones financieras. Es una murga, una leche.

—¿Y por qué no te quedas en el pueblo? —me tentó.

—¿En el pueblo? ¿Y de qué vivo aquí?

—Hombre, para algo servirás, digo yo. Esto es bastante más barato que Madrid, sobre todo en invierno.

—Sí, pero ¿en qué podría trabajar? Mi agencia ni siquiera tiene aquí sucursal que pudiera emplearme. Esta es una zona de llegada del turismo y de apenas salida. No —concluí—, no hay nada para mí ni tengo capital para iniciar algún negocio.

—¿Y tu familia? ¿No tienes aquí alguna familia?

—Mi familia, conforme crecía el pueblo, fue extinguiéndose sin dejar herederos. Ya te recordé que la hermosa casa de mis abuelos en la que yo disfrutaba con la suelta de palomos es ahora un alto edificio de pisos que miran al mar con otros ojos. Ahora no podría asomarme desde sus balcones para ver la llegada de los barcos de pesca.

No me gustaba estar anticipando la despedida del pueblo y miré las fachadas de las casas que teníamos enfrente intentando imaginar en cuál de ellas pude nacer. Lo había perseguido varias veces sin obtener respuesta. Pero esta vez recordé un hecho de cuando era pequeño y habitaba la casa. Teníamos un perro lobo, un pastor alemán admirable al que alguien en aquella mañana había envenenado. Podría reproducir en mi mente con exactitud cómo el perro se acercó a la cama en la que yo dormía y pudo lamerme cariñosamente como expresión de despedida. Dio luego apenas unos pasos y se enroscó para morir a la puerta de mi habitación. Nunca pude entender que Claudia, mi ex mujer, detestara a los perros y se opusiera a que tuviésemos uno.

El recuerdo de aquel perro de mi niñez, envenenado por el instinto de diversión humana, me hizo volver la mirada hacia Francisco y preguntarle:

—¿Y usted? ¿No tiene usted aquí familia?

—Aquí no tengo; vivo cerca de una sobrina que de vez en cuando me visita y ordena. Sus padres y hermanos están en Barcelona, y ella se casó en el pueblo con un paisano, buen zagal, que no quiso emigrar y...

Realmente no atendía la respuesta de Francisco sino que continuaba mirándolo bajo la presidencia de mi recuerdo infantil de un perro envenenado. No sé por qué di en imaginar a Francisco encerrado en su casa despidiendo a la vida y sin una voz amiga que le aconsejara evitar la locura de dejarse morir a manos de la melancolía. Supongo que inconscientemente le transfería a Francisco la soledad melancólica que en aquellos momentos padecía en la glorieta y que de tarde en tarde me acongojaba por cualquier motivo, aunque ahora sí podría precisar que se trataba de mi temor y desgana a enfrentarme con la búsqueda de los materiales de una nueva vida madrileña a la que el abandono de Claudia me obligaba.

De un momento a otro el revoltoso piar de los gorriones anunciaría el avance del día hacia el atardecer. Francisco miró en torno suyo, después la altura de los árboles y el cielo, como si esperara alguna presencia desconocida para mí, que no advertía nada significativo. Se apoyó en su cayado y se alzó teniendo plenamente decidido su destino. Al igual que tantas otras tardes encontró sus palabras para despedirse y comenzó a caminar. Yo lo miraba andar acompasado y me pareció que era un día distinto, en el que llevaba a sus espaldas una mochila donde se apretaban los años vividos dispuestos a soltarse para ir a descansar a otro espacio. Imaginaba la ingratitud de los años queriendo desprenderse de quien los había sostenido con su mejor voluntad. Al llegar al ángulo de la glorieta que se vencía a la calle observé que Francisco se detenía. No lo había hecho nunca. Se volvió hacia el banco en el que yo aún permanecía sentado, sonrió y levantó su cayado en señal de saludo. Estaba seguro de que jamás, ningún día, se había vuelto para despedirse. Después se perdió por una calle en la que jugaba de pequeño a las chapas según me dijo una mañana.

Aguardé absurdamente por si Francisco se arrepentía y regresaba. Era mi deseo, contra una realidad alimentada por la comodidad de una lógica en la que siempre se llegaba a una conclusión dictada por las premisas. Sonreí al escucharme intentando recordar cómo se formaba el silogismo categórico a través de un razonamiento mediato sostenido en la implicación de los términos. No estaba seguro de que fuera así y me esforcé por recordar los modos que revestían los silogismos y comencé a recitar los primeros, Bárbara, Celarent, Darii, Ferio... que nos enseñaban en el colegio según la lógica silogística de los aristotélicos.

Me pareció normal, incluso por la debilidad que enunciaba, el que nuevamente mi memoria se agarrara a mis años escolares. Creo que me ocultaba en esa pasada juventud para diluir en él mis continuos fracasos, al tiempo que hoy protestaba por una educación recibida dentro de unos valores que olían a cera de velatorio. Supongo que una parte de mi juventud la eché a conocer conceptos perdidos, nombres de muertos que cada día me era más difícil compartir con la memoria de un amigo. Y lo grave, lo verdaderamente grave, es que conceptos y nombres periclitados hoy se me habían quedado dentro como un pesado poso que me gritaba su inutilidad y no podía o quería evacuar.

Miré por última vez la calle por la que había desaparecido Francisco y me pareció que en su centro permanecía como un halo que dibujara el hueco de su ausencia. Me restregüé los ojos y respiré profundamente desalojando fantasmas llamados ante el temor de pronunciarme. Dije Blanca y expresé mi deseo de alcanzar su cuerpo y extraer de su contacto mi disciplinada decadencia. Era, efectivamente, la hora en la que vería a Blanca y la digestión de la tarde me había levantado el deseo de encontrarla con la misma avidez que cuando nos tendíamos en la playa y maldecíamos el estorbo censor del entorno. Me alcanzó la realidad de que ya era distinto y me reí desalojando de la mente aquella letanía de Bárbara, Celarent, Darii, Ferio, con la que se conjugaban las vocales para ordenar silogismos. En mi caso era fácil componer el silogismo: El amor es el deseo de poseer la belleza; Blanca es una manifestación de la belleza; luego el amor (mi amor) es el deseo de poseer a Blanca. ¿Podía componerse tan fácilmente un silogismo?

Detuve el coche frente a la casa de Blanca y pude oír que el perro ladraba señalando mi presencia. También yo sentía impaciencia por verlo. Estuvimos un rato celebrando la amistad. Luego Blanca me llevó a la habitación del mirador. Por las ventanas de poniente penetraba un aire, teñido con el color de las algas, que había visitado previamente al mar y olía a yodo. En una esquina advertí una mesa auxiliar preparada para una merienda.

—¿Esperamos a alguien? —demandé.

—Sí, a Valeria. Ya te dije que éramos muy amigas, más que hermanas.

Me respondió con cierta sequedad, con una firmeza de no admitir dudas. No me parecía muy oportuno que nos acompañara Valeria y posiblemente el anuncio de su visita me animó a preguntarle a Blanca algo que había meditado en la noche anterior mientras esperaba al sueño en el porche frente al mar.

—¿Te atreverías a compartir la vida conmigo en Madrid?

Blanca se sorprendió con la pregunta. Se sorprendió más que lo estuve yo al oír el sonido de mi atrevimiento. Por ello me precipité a explicar:

—No es un gran sueldo, pero es lo suficiente para no pasar hambre —y sonreí—. Seguramente el apartamento o el piso que encontremos no tenga vistas al mar ni una cuarta parte de los metros que aquí tienes, pero...

—No es eso lo que importa —me interrumpió.

—¿No es eso? ¿Y qué es?

—La vida —respondió con seguridad.

Me miró fijamente a los ojos queriendo transmitirme algo que no entendí, y después comenzó a explicarme:

—La vida es distinta, Gabriel, a cuando tu escapaste del pueblo. No sólo aparecieron nuevas calles y edificios sino ideas que nos fueron transformando con su apertura para superar desengaños y hábitos viejos. Ya no es como en aquel tiempo en el que tú y yo huíamos de la mirada de mi padre. Nada o casi nada es igual. Puede que nos volviésemos más cobardes. O lo contrario: capaces de manifestar lo que antes nos prohibíamos o nos prohibían.

Intenté hallar en sus ojos, que brillaban de vida, qué se había transformado en nosotros, porque estuve pesando en mi conciencia sus palabras mientras hablaba y no alcanzaba a despejar de oscuridad su respuesta. De modo caprichoso me llegó el recuerdo de la inmensa alegría que sentí aquel atardecer en el que mi abuelo Ubaldo me regaló mi primera pluma estilográfica con la que me puse a escribir como un loco. Era una pluma que, ingratamente, había perdido, sin echarla de menos durante años hasta ahora, porque con ella también le había escrito estúpidos poemas a Blanca.

—¿Te acuerdas —dije de repente— de alguna de aquellas poesías que te hacía?

—¿Cómo voy a recordarlas? Me las leías, creo que luego te ruborizabas, y te las llevabas sin dejarme el papel. Lo único que recuerdo es que me gustaban. ¿Acaso tú las recuerdas?

—No, ni lo más mínimo.

—¿Ves cómo ha pasado el tiempo? —me advirtió—. Ahora no se te ocurriría escribirme una poesía, ¿verdad?

—No —le confirmé—, ahora sería incapaz; no soy poeta. Es posible que esté muy avanzado mi aprendizaje de no ser nada.

—¿Te sucede algo malo?

—No lo sé, ignoro el modo de ordenar mis ideas. Creí que días atrás, en la soledad de la playa, lo había logrado, pero creo que la ida de Lázaro y tu llegada me han inquietado. Y también Francisco, el anciano del pueblo que ignoro de dónde proviene y cuál es su realidad.

—¿Y por qué no te entregas a la realidad de la vida? —me retó.

—¿Tú sabes cuál es esa realidad? —la provoqué.

—Claro, consiste en no preguntarte dónde está o qué es la realidad. Simplemente, déjate llevar por ella, esperar que sea cada día el que te la ofrezca como una novedad, al igual que te llegan la luz o los sonidos de la calle.

—Pero con frecuencia tienes que defenderte frente a esa luz o esos sonidos, estás obligado al ejercicio diario de defender tu vida, de hacerte la vida.

—Creo que no me entiendes —pareció zanjar—, que ya no compartimos el mismo sentido de la realidad que teníamos hace años, cuando ni siquiera el tiempo nos distanciaba.

La última frase pronunciada por Blanca me trajo los viejos días que compartíamos cuando al separarnos yo le afirmaba que el tiempo no podía distanciarnos porque ella se llevaba mi noche para abrazarla y me dejaba su voz para dejarla crecer en mi memoria. La verdad es que ahora ya no sé si creía esas palabras o eran el sonido de una agradable cursilería invitada a morir. En todo caso las palabras de Blanca, discrepando, me abrían los caminos de una realidad distinta de la que al parecer habitaban ella y sus amigos.

Me levanté para perder la mirada en el camino del mar, hasta llevarlo allá donde semeja fundir su azul con el del cielo engañando a la realidad. De pequeños creíamos que era el cielo el que se inclinaba en el horizonte sobre el mar, ofreciéndose en su contacto por si alguien quería ascender por su curva y ver lo que tenía construido en su interior. Claro está que se trataba de una ingenuidad, pero también lo era que en la antigüedad se creyera que el cielo, primeramente llamado firmamento, fuera una lámina sólida de bronce fundido. Pensé ofrecerle a Blanca éste y otros ejemplos de cómo el tiempo según avanza por su carril va negando realidades del pasado. Decirle que la tierra fue plana y ahora es redonda; que ya no gira el sol en torno a la tierra sino todo lo contrario; que las brujas volanderas, que tantos procesos y hogueras alimentaron preocupando a la Inquisición y a los intelectuales, ya no vuelan ni jamás existieron; que la sangre no permanece estancada sino que es un líquido que circula por el sistema cardiovascular... ¡Tantas realidades creídas que fueron luego negadas porque otras surgieron!

Me volví de nuevo hacia Blanca en un intento de llevar a sus ojos con los míos el tiempo que fuimos, la mutua realidad de nuestros cuerpos atrayéndose y queriendo afirmar su perennidad. Quería acercarle el calor que fue mutuo en tardes anteriores y aun en la noche compartida en el cortijo cercano a las colinas. Lo intenté, pero no hallaba respuesta en su mirada. Leí en ella que aguardaba otra recepción.

—¿En qué piensas? —quise despertarla.

—En nada —respondió—, simplemente en darme al momento que llega y ser en él. Como hice el otro día cuando inesperadamente nos vimos en El Balneario.

—No inesperadamente —corregí—. Yo estaba allí aguardándote.

—¿Y te gustó hallarme? Quiero decir que si aún te puedes alegrar o estás arrepentido.

—¡Claro que me alegró encontrarte!

Me hundí en el silencio, como si mi exclamación de alegría acordara su muerte apenas nacida, e intenté explicarme en los ojos de Blanca. Creo que tenían el brillo de la tristeza y me atreví a leer en ellos el recuerdo de una despedida. Era el mismo brillo de aquella lejana noche en su casa, veinte años atrás, cuando me pidió que la besara y sólo ella sabía que era el final. Aseguraría que era aquella luminosidad que encendía en mayor belleza sus ojos, que yo quería y hacía negros. Me costó trabajo construir la palabra, pero pude insistirle:

—¿No te decides a escaparte conmigo a Madrid?

Sonrió. Ahora sé que le daba pena decirme otra vez no. Y dijo:

—Si escapara contigo, me sentiría siempre incompleta.

—¿Tienes aquí negocios de tu padre que seguir? Déjalos. O véndelos —pretendí animarla.

—No son negocios —me corrigió—, es la vida que amo, donde soy.

—Vívela conmigo. El apartamento que encontraremos en Madrid será tan pequeño que estaremos todo el día tropezándonos, amándonos.

—No es posible, Gabriel —casi rezó.

Después, al apreciar que la mirada se apagaba en mis ojos adentrándose en la tristeza, quiso explicarse.

—Quisiera que entendieras sin tener que explicártelo.

No entendía y Blanca tuvo que apoyarse en la palabra:

—Cuando mi padre murió y supe de sus errores me entró un profundo desengaño. Me pareció que todo el mundo era una interesada mentira movida por la ambición. La gente se acercaba al cadáver de mi padre para ver qué podía cobrarse. Acabé por no creer en nada.

Por unos instantes pude entenderla. En parte, era la misma falta de fe, un desengaño análogo al que me condujo a vivir prestado en la casa de la playa y buscar en las colinas algo en lo que poder construirme.

—Puedo entenderte —le dije—. Algo parecido sentí yo cuando me vine aquí. Mi suerte fue mirar las colinas y descubrir en ellas a Lázaro y creer que podría transformarlo en sujeto de una leyenda. Acabé encontrando un amigo.

—También yo encontré amigos —me atajó.

—¿Valeria?

—Sí, Valeria sobre todo, que había superado su desengaño en París. Pero también otros. Todos coincidíamos en que el mundo era una mierda gobernado por aquellos que no la olían y la amasaban. Así que decidimos entregarnos a la vida, pertenecer a ella y gozarla.

De nuevo se me escapaba Blanca, no llegaba a entender qué significado tenía para ella darse a la vida cotidianamente. Creo que lo advirtió porque mis ojos no respondían a la penetración de su mirada.

—Valeria, más que nadie —me dijo—, me llevó a la verdad de que no podríamos hacer nada por cambiar la vida. Siempre se seguiría engañando, matando, robando... Lo mismo siempre, mudando ligeramente la manera de llamarlo. Hurto por robo, asesinar por matar, es nombrar lo mismo aunque una ley quiera distinguirlos.

—También existe el amor, amarnos.

—Sí, claro que existe. Es lo que Valeria me enseñaba; desprendernos de toda esa vida que los otros nos imponían para entregarnos al amor entre nosotros, al placer de sentirnos con olvido de lo demás.

—Pero llegué yo y...

—Sí, llegaste tú con el tiempo que fuimos y me perturbaste unos días, haciéndome que rompiera mi hábito. La otra noche, con el viento de las colinas cercándonos, comprendí que no podíamos recoger el pasado e instalarlo nuevamente en nosotros.

Me detuve fijamente en sus ojos, en sus grandes ojos negros que los recordaba buscando continuamente la alegría para poder ofrecerla como una bendición, y me pareció que algo oculto, una sombra que no descubría, se llegaba a esos ojos para trocarles su luz por una muy distinta de alcance limitado que se alejaba de mí. Tuve la certeza de que sus ojos caminaban ya por una vida que desconocía y de la que había oído hablar al igual que oí decir, sin jamás estar allí, de la isla de Lesbos, en la ruta del Ponto Euxino, que se alimentaba en el azul del mar Egeo.

Instintivamente giré la cabeza en busca de un espejo en el que poder mirarme. Quería comprobar si habrían variado mis facciones. Hallaba que las de Blanca mudaron precipitadamente. Como si de pronto se hubieran agolpado contra ella todos aquellos años que estuvimos separados y un rictus de lejanía se instalara de modo espurio en su rostro.

Comencé a vislumbrar que descubrir un mundo distinto, una vida nueva conducida a ella por el desengaño, había anidado en la voluntad de Blanca. Por unos días mi presencia le trajo fragmentos de un pasado que convenía olvidar y del que quizás ya no quedara en ella otro vestigio que el cariño por los perros. Me sentía cansado por no entender del todo. Me vino a la memoria el decir de algunos jóvenes que se acercaban a la agencia para organizar un viaje, con frecuencia a Marruecos, que era buena ruta para el sexo y la droga. En el fondo, los cubría el desengaño y, según me dijo el jefe, era una situación que se producía cuando se derrumbaban los mitos, se negaban los valores por los que se había luchado y se necesitaba una actividad del presente que enviara a la nada lo que se había sido o soñado. Lo bueno, lo único, quizás estuviera en darse a ese presente desconectándolo de un ayer y un mañana. Era lo que realmente existía y producía éxtasis o alucinaciones de un mundo aparte que nadie parecía manejar. Y ante aquella novedad y ofrecimiento de vida ¿qué podía presentar yo? Tenía que admitir que la casa desahuciada de la playa era lo que me representaba.

Continuaba fijándome en el rostro, en el cuerpo de Blanca sin dejar de amarlo. Lo había tenido unos días junto a mí, deseándolo al igual que lo deseaba corriendo tras él cuando nos bañábamos en el mar. Y me avergoncé de haber medido su vida como si yo fuera un moralista. Me aterró de pronto el sentirme equiparable a Angustias, la hermana mayor de Lázaro, obligándolo a orar y pecar. Sentí que necesitaba la palabra para huir.

—Esta vida es compleja —afirmé—, somos un microcosmos difícil de entender.

—Sí, estoy de acuerdo. Por ello lo mejor es olvidarnos de lo que somos.

—Eso es imposible hacerlo. Porque también están los demás, el juicio de los otros cayendo sobre nosotros.

—¿Y qué nos importan los demás? —protestó—. Lo que me importa es mi yo realizándose, proclamándose vida.

—¿No te importo yo? —intenté bromear.

—Sí, claro que me importas. Tú eres parte de mí. Una parte distinta a como lo fuiste, porque eso es pasado, pero al fin una parte. No serás nunca un otro ajeno a mí.

Era triste, pero me halagó oír que jamás sería un otro para Blanca, que siempre sería una parte de ella. Como si quisiera conservar una fotografía mía para, si alguna vez me encontraba en vísperas de olvido, poder contemplarla y recordar cómo era. Nunca sería, por su parte, volver al pasado sino conducirlo a la actualidad para hacerlo cómoda parte de su presente.

Sus finales palabras señalándome en ella me llevaron a evocar nuestra última unión en el cortijo, con el aire armonizando sus llegadas del mar y del campo para crear un olor único e híbrido que pretendía impregnarnos con ansias de perennidad. Era admirable cómo se nos pegaba aquel olor invadiéndonos con sus celos ante el olvido. Sé que el cuerpo de Blanca, todo su cuerpo, recogía ese olor y le otorgaba posada para que yo lo sintiera personalizado en su piel. Estaba en su frente, en sus ojos que punteaba mi lengua, en sus labios... No me atreví a preguntarle si ahora quedaba algo en ella de aquel olor que tanto vigilé con mi calor en la noche mientras ella dormía. Tampoco quise acercarme a comprobarlo. Me dolía que apenas amaneció saltó de la cama ordenando que teníamos que abandonar el cortijo y me paralizó el informe de que una pesadilla había levantado su muro entre nosotros, alejando al infinito el ayer del hoy.

—Te querré —me dijo— como si fueras el depositario de un tiempo que fue nuestro y que escapó. Al igual que se aprecia un sueño placentero que al despertarnos comprobamos que ya no existe.

Intenté que sus ojos, mirándome, pudieran explicarme esas palabras que me dijo. Me costaba trabajo admitir que ayer mismo estuviéramos participando intensamente de un sueño y en la mañana de hoy nos despertáramos concediéndole a la vigilia el poder de la total negación.

Pero sus ojos no me explicaban nada, se movían al compás de la vida que iba llegando sin detenerse en la memoria. El silencio me acusaba de haber cursado los días sin recoger su latido y apreciar el goce de la novedad. Me dirigí de nuevo a la ventana para ver si el mar me explicaba el juego del tiempo formando la llegada y la huida de los sentimientos en apenas un instante. Oía a mis espaldas la respiración de Blanca. La notaba cargada de unos años que no me pertenecían y que fueron progresando sin mí. Seguía sin encontrar un espejo, pero estaba seguro de que también en mi rostro habría descargado sus años aquel tiempo en el que permanecí fuera del pueblo. Los años se cobraban en nosotros el tiempo gastado. Sin embargo, no temí volverme hacia ella y que nos encontráramos. Aun con los años llegados de pronto continuaba siendo hermosa, con sus ojos negros proclamando el movimiento de la vida y su boca proclive a darle salida a la palabra sin dañarla. Incluso, unos veinte años más antigua, parecía esperar la satisfacción de vivir. Creo que adivinó, al llegarle mi mirada, que la amaba, que seguiría amándola cualquiera que fuera el camino que la alejaba de mí.

El mar no me había explicado nada o quizás fuera que olvidé leer en sus ondas. Tenía la boca seca y sentía que la soledad quería apoderarse de mí señalándome el camino del cansancio. Era probable que mis largas noches conversando con el silencio en la casa de la playa me reclamaran su presencia, aconsejándome la huida de la voz. Pero la amaba y aún quería escuchar el sonido de su palabra.

—¿Estás bien? —le pregunté.

—Sí, claro que estoy bien —manifestó sin dudarlo.

Fue entonces cuando apareció Valeria, revoloteando por la habitación como una oferta que buscara dónde posarse. Halló pronto la boca de Blanca y descansó en ella. Después, rápida, se acercó a mí, que me mantenía en pie, y también me besó en la boca. Sentí sus labios mojando los míos con una especie de aceite o grasa que me desagradó. Instintivamente me llevé el pañuelo a la boca intentando secarla. Blanca sonrió pidiéndome perdón a través del silencio.

Valeria comenzó a hablar con una rapidez que le desconocía. Saltaba de una cosa a otra olvidada por completo de que también en el discurso oral existe el punto y aparte. Todo iba seguido, apresurado, y con la celebración de que hacía una noche espléndida enlazaba un problema tenido con su cátedra de Filología Inglesa. Me mareaba su cháchara vertiginosa en la que las palabras se precipitaban y empujaban temiendo quedarse sin espacio que habitar. Blanca sonreía mientras yo renunciaba a descifrar algo en aquel ruido de palabras que Valeria borboteaba sin pausa. Lentamente procuraba refugiarme en mí mismo y me decía que tantos años aplicado a diseñar viajes turísticos para los demás me habían aislado del progreso de la realidad. Miraba a Valeria bajo el asombro de no entenderla en nada. Lo único que discernía era su acercarse a Blanca, acariciarla un poco y besarla como si sus palabras estuvieran dedicadas a ella y celebraran escondidamente mi alejamiento.

Blanca se levantó de la butaca y se acercaron a la mesa preparada para la merienda. Yo permanecí junto a la ventana, esperando la caridad comunicativa del mar.

—¿No te acercas? —me invitó Blanca, enmarcada por la sonrisa triunfante de Valeria.

—No, muchas gracias; tengo que ver a Francisco —mentí— para preparar el viaje.

Inicié la salida. Bajo el dintel de la puerta me detuve y se acercó Blanca. Creo que Valeria nos vigilaba. Por unos instantes creí que Blanca me pediría que la besara prietamente al igual que aquella lejana noche en la que nos despedimos y ella dictaba el final. Sentí sus labios en mi mejilla como si me hubieran acercado un viejo y helado trozo de pergamino. Creo que yo besé el aire que merodeaba por su rostro.

—Lo siento —dijo—. Lo intenté, pero ya es otro tiempo, otra vida.

Sonreí y comencé a descender por la escalera. En el jardín sentí que el perro ladraba. No tenía ya capacidad para ensayar otra despedida. Al menos me consoló saber que Blanca lo cuidaría.

Atravesé el pueblo acelerando el coche. Hacía, realmente, una noche espléndida, tal como anunció Valeria, y se advertía en el animado movimiento de los viandantes y en la aparición de la música estallando de trecho en trecho. Aparqué el automóvil, que amanecería cubierto de relente, y me dirigí al porche a conversar con la noche en busca de ánimos. No tardaría mucho en preparar el viaje.

A la mañana siguiente me dirigí a la playa para, con los pies en el mar, mirar las colinas y buscar si caminaba por ellas un hombre enjuto, anacrónicamente vestido de negro, al que justamente podría llamar Lázaro. O era demasiado temprano o se habría marchado para siempre. Ni siquiera el viento sembrado en las colinas silbaba paralelo al mar perfilando un cuerpo. Acaricié unas piedras salientes del porche con la seguridad de que irían al mar a ser distracción de cangrejos y dispuse la maleta en el coche. Camino del pueblo miraba todo con la seguridad de que nada regresaría. Me detuve brevemente en el espacio rocoso que presidía una higuera y donde lancé aquel grito de «¡Zapé Ahimé, Za Zapé Zas!» porque temí que la presión del silencio estuviera borrando el sonido de las palabras.

Cerca de la glorieta estaba la parada del autobús que conducía al aeropuerto. Había devuelto ya el coche de alquiler, sacado dinero, y fui a sentarme en el banco a cuyo frente se manifestaban las casas en una de las cuales yo había nacido y que me seguía siendo ilocalizable. Levanté la mirada y miré el reloj de la iglesia. Tenía tiempo de sobra y me ilusionó la posibilidad de que llegara Francisco. No podía ir a su encuentro porque desconocía en qué sitio habitaba e incluso su nombre para poder preguntar. Una vez me había precisado cómo se llamaba, pero era imposible recordarlo porque lo había bautizado como Francisco y ése era nuestro nombre. Sonreí. Francisco no aparecía y comencé a dibujarlo en mi mente para que jamás se escapara de la memoria. Sé que lo necesitaría en el callejear madrileño y en la soledad que me caería cuando necesitara hablar conmigo de Blanca y del pueblo. Lo necesitaría para que él me diera noticia de cómo el pueblo avanzaba, de qué calles nuevas se abrían y qué nombres llevaban. Me abrazaba esperanzado a esa necesidad cuando de pronto me hirió la duda de si Francisco sería una realidad o el producto de la fantasía, tal como lo fue aquella leyenda ofrecida por el mismo Francisco que me contó una mañana. Me puse algo nervioso con esa duda que nadie podría solventarme. Pasaron frente a mí un par de oficinistas y creo que me inspeccionaron pensándome un emigrante que, con aspecto cansado, aguardaba la llamada de un trabajo. No tenía a nadie que pudiera contradecirles.

En el aeropuerto, lejos del pueblo, tenía la vaga sensación de no llegar de alguna parte o de ir a ella. Estaba sentado, con la maleta a los pies, exactamente igual que lo estuve en el banco de madera de la glorieta. Una voz anónima nos indicó que en quince minutos partiríamos hacia Madrid. Ocupé mi asiento y miré por la ventanilla. No había absolutamente nada que llamara mi atención. Y di en considerar que sí, que posiblemente el hombre pudiera hacerse historia e instalarse en ella contra la muerte mediante la construcción de su pasado por la imaginación. Pero inmediatamente me sacudió la pregunta de si en mí valdría la pena hacerse y ser historia.

0207 594 4915.